Oetinger

Paul Maar, 1937 in Schweinfurt geboren, studierte Malerei und Kunstgeschichte und war als Kunsterzieher tätig. Heute ist er einer der erfolgreichsten und vielseitigsten deutschen Kinder- und Jugendbuchautoren. Er schreibt Romane und Gedichte, Drehbücher und Theaterstücke, ist Illustrator und Übersetzer. Er ist u. a. der Erfinder vom SAMS und seinen Geschichten, die auch mit großem Erfolg verfilmt worden sind. Paul Maar wurde vielfach ausgezeichnet, u. a. mit dem Deutschen Bücherpreis, dem Österreichischen Staatspreis, dem Brüder-Grimm-Preis, dem E.T.A.-Hoffmann-Preis und dem Friedrich-Rückert-Preis sowie mit dem Sonderpreis des Deutschen Jugendliteratur- preises für sein Gesamtwerk.

Paul Maar

Herr Bello
und das blaue Wunder

Zeichnungen von Ute Krause

Verlag Friedrich Oetinger · Hamburg

Kinderbücher von Paul Maar bei Oetinger (Auswahl)

Das kleine Känguru und seine Freunde
Große Schwester, fremder Bruder
Herr Bello und das blaue Wunder*
Neues von Herrn Bello
In einem tiefen, dunklen Wald …*
Kreuz und Rüben, Kraut und quer. Das große Paul-Maar-Buch
Lippels Traum*
Der tätowierte Hund*
Der verborgene Schatz
sowie die Bücher über das SAMS*

* Diese Bücher sind auch als MC/CD erschienen.

© Verlag Friedrich Oetinger GmbH, Hamburg 2005
Alle Rechte vorbehalten
Einband und Illustrationen von Ute Krause
Satz: UMP Utesch Media Processing GmbH, Hamburg
Druck und Bindung: GGP Media GmbH, Pößneck
Printed in Germany 2007
ISBN: 978-3-7891-4251-2

www.oetinger.de

*Für Ulrich Limmer
mit herzlichem Dank dafür,
dass die Zusammenarbeit
bei unseren Filmdrehbüchern
so viel Spaß gemacht hat*

KAPITELFOLGE

1.

Max erzählt

Wenn damals nicht diese alte Frau in Papas Apotheke gekommen wäre, dann wäre uns viel Aufregung erspart geblieben. Auch Edgar.

Das klingt jetzt fast so, als wollte ich sagen, dass uns dann auch Edgar erspart geblieben wäre. Aber so meine ich das natürlich nicht. Obwohl Edgar einem ganz schön auf die Nerven gehen kann mit seinen ständigen Messungen, Tabellen und Listen. Meine Größe zum Beispiel misst er jedes Mal, wenn ich ihn zusammen mit Papa auf seinem Bauernhof besuche. Dann trägt er das Ergebnis als Punkt in eine Tabelle ein und verbindet die einzelnen Punkte mit einer roten Linie. So kann er mein Wachstum exakt verfolgen, sagt er. Ich weiß nicht, wozu das gut sein soll. Dass ich jedes Jahr ein bisschen größer bin, kann ich auch an meinen Hosen sehen. Die vom vergangenen Jahr gehen mir nur noch bis an die Knöchel.

Außerdem soll ich nicht Edgar zu ihm sagen, obwohl er doch so heißt. Er verbessert mich dann immer: »Max, mein Name ist *Herr* Edgar!«

Aber eigentlich ist Herr Edgar recht nett. Er ist ja auch der beste Freund von Papa.

Und wenn diese merkwürdige alte Frau nicht in die Apotheke gekommen wäre, hätten wir auch Herrn Bello nie kennen gelernt. Das wäre ja nun wirklich sehr, sehr schade gewesen. Also war es letztlich gut, dass sie uns diesen Saft gebracht hat.

Aber vielleicht sollte ich mit meiner Geschichte weiter vorne anfangen. Verena behauptet, dass man Geschichten am besten mit dem Anfang beginnt und nicht mit dem Schluss.

Verena Lichtblau kommt allerdings auch erst später dran. Geh ich also noch weiter zurück!

So richtig los ging es, als Papa mir zum zwölften Geburtstag einen Hund geschenkt hat.

Als ich ihm sagte, dass ich mir einen Hund wünsche, hat er geantwortet: »Unmöglich! Ein Hund in einer Apotheke, das ist unhygienisch. Das geht nicht.«

Papa ist nämlich Apotheker. Uns gehört die Sternheimsche Apotheke in der Löwengasse.

Ich hab gesagt: »Der Hund muss ja niemals in die Apotheke kommen. Ich behalte ihn oben in der Wohnung.«

Papa hat nur den Kopf geschüttelt. »Max, ein Hund braucht Auslauf. Oben in der Wohnung, wie stellst du dir das vor!«

»Das kann ich mir sogar sehr gut vorstellen«, meinte ich. Aber er hat wieder nur den Kopf geschüttelt.

Ich habe der dicken Frau Lissenkow, die bei uns schon seit zwanzig Jahren die Wohnung und die Apotheke putzt, erzählt, wie gerne ich einen Hund hätte und dass Papa mir keinen erlaubt.

Da sagte sie: »Lass mich mal mit deinem Vater reden. Vielleicht kriege ich ihn rum. Das wäre dann mein Abschiedsgeschenk an dich. Nächste Woche gehe ich ja in Rente, dann ist Schluss mit Putzen.«

Sie hat dann tatsächlich mit ihm gesprochen und zu ihm gesagt, dass der Junge (also ich) doch oft allein hier oben in der Wohnung sei, während sein allein erziehender Vater (also Papa) unten im Hinterzimmer der Apotheke irgendwelche übel riechenden Flüssigkeiten zusammenkippt, die dann die Farbe ändern und anfangen zu rauchen.

Papa sagte ihr, dass sie sich keine Sorgen machen muss wegen der Flüssigkeiten, er habe nur ein Düngemittel für seinen Freund Edgar entwickelt. Genauer gesagt, für dessen Wiesen und Felder.

Frau Lissenkow sagte, sie spricht nicht von den Flüssigkeiten, sondern von seinem Sohn Max. Der sei doch ohne Mutter ziemlich einsam, und das Einzige, was da helfen könne, sei ein Haustier, am besten ein Hund.

Ich fühlte mich zwar kein bisschen einsam, habe aber nicht widersprochen und versucht, einen möglichst einsamen Gesichtsausdruck hinzukriegen.

Frau Lissenkow hatte da bei Papa einen wunden Punkt getroffen, das merkte ich sofort. Wenn man nämlich Mama erwähnt und andeutet, dass Papa vielleicht kein guter Vater ist, wird er ganz niedergeschlagen.

Er und Mama sind seit vier Jahren geschieden. Vor fünf Jahren haben wir Urlaub in Australien gemacht. Da hat Mama einen neuseeländischen Krokodiljäger kennen ge-

lernt und hat uns verlassen. Sie hat gesagt, Papa und ich sollen nicht traurig sein, aber sie liebt nun mal das Abenteuer und hat es satt, in der Apotheke hinter dem Ladentisch zu stehen. Ehrlich gesagt, konnte ich verstehen, dass sie nicht ihr ganzes Leben lang Tabletten verkaufen wollte. Papa ist ja auch nicht gerade mit Begeisterung Apotheker. Am meisten macht es ihm Spaß, im Hinterzimmer die Pillen mit verschiedenen Farben zu überziehen, Fruchtgummis in ganz ausgefallenen Farbtönen herzustellen oder ein Bild zu malen, das er dann als Dekoration zwischen die Vitamintabletten und Schnupfensprays ins Schaufenster stellt.

Mama war schon immer abenteuerlustig gewesen. Wahrscheinlich hat sie das von ihrem Vater geerbt, meinem Opa mütterlicherseits. Ich habe ihn nie kennen gelernt. Er ist früh gestorben, als er versuchte in einem Metallfass die Niagarafälle runterzuschwimmen. Er kam heil unten an. Aber leider herrschte gerade ein Gewitter und das Fass wurde von einem Blitz getroffen.

Bevor Mama und Papa geheiratet haben, ist Mama oft auf die Jagd gegangen und hat Wildschweine geschossen. Papa fand das schrecklich. Er liebt Tiere und konnte nicht verstehen, dass man sie abschießt.

Mama ließ es Papa zuliebe bleiben und schoss nur noch in unserem Hof auf Blechdosen, die sie auf Steine gestellt hatte. Aber unsere Nachbarn haben sich über das ständige Knallen beschwert. So ließ sie auch das sein und schoss nur noch unten im Apothekenkeller mit der Luftpistole auf Zielscheiben, die sie sich von Papa malen ließ. Manchmal zerschoss sie aus Versehen ein Gläschen mit Papas Mixturen. Mama kehrte zwar dann die Scherben auf und versteckte sie im Papierkorb, eingewickelt in die Apotheker-Zeitung. Aber Frau Lissenkow entdeckte meistens trotzdem, was passiert war, und petzte bei Papa: »Ihre Frau hat wieder mal den Hustensaft abgeschossen.«

Papa nahm Mama immer in Schutz und sagte etwa: »Nicht so schlimm. Kann ja mal vorkommen. Dann mixe ich eben einen neuen. Der alte hatte sowieso keine besonders schöne Farbe, war etwas zu grünlich.«

Na ja, leider hat Mama uns trotzdem verlassen.

Papa hat mich damals auf dem Rückflug von Australien getröstet und gesagt: »In Zukunft werde ich dir Vater und Mutter sein.«

Zu Hause war ich dann ein bisschen enttäuscht. Ich hatte mir nämlich vorgestellt, dass sich Papa, wenn er Mutter ist, irgendwie verkleidet als Frau. So mit Perücke, Rock und Strumpfhosen. Ich war schon sehr gespannt, wie er dann aussieht. Heute weiß ich natürlich, dass er das nicht wörtlich gemeint hat, sondern im übertragenen Sinn. Damals war ich ja auch noch jünger.

Vor vier Jahren, da war ich dann schon acht, hat uns Mama noch mal eine Postkarte geschrieben. Ich habe mich sehr darüber gefreut, denn auf der Karte waren zwei australische Briefmarken, und die sind hier ja ziemlich selten. Ich habe sie in der Klasse gegen sechs amerikanische Briefmarken getauscht und sie Robert Steinheuer gegeben, damit er mich auf dem Heimweg von der Schule nicht mehr so doof anmacht und mich in Ruhe lässt. Das hat leider nur eine Woche gewirkt, dann war er wieder so fies wie vorher.

Was auf der Karte stand, weiß ich nicht mehr genau. Ich glaube, Mama schrieb, dass sie mit ihrem neuen Mann nach Tasmanien gezogen ist oder vielleicht auch nach Tunesien. Jedenfalls stand ein »T« am Anfang. Und dass sie da Tiger jagen oder Löwen.

Aber um endlich auf den Hund zurückzukommen: Frau Lissenkow hatte genau das Richtige gesagt, und Papa erlaubte mir, einen zu haben.

An meinem zwölften Geburtstag, es war ein Mittwoch, gingen Papa und ich zu vier Hundezüchtern und suchten nach einem Hund für mich. Papa hatte gesagt, es müsste ein nicht zu großer Hund sein, wegen unserer kleinen Wohnung. Wir guckten uns Rauhaardackel, Pudel, Terrier und Schnauzer an. Es gefiel mir aber keiner. Ich finde, man muss auf den ersten Blick spüren, ob man einen bestimmten Hund haben möchte oder nicht. Und ich hatte bei keinem, den wir anschauten, dieses besondere Gefühl.

So gingen wir ohne Hund wieder nach Hause und aßen gemeinsam mit Frau Lissenkow den Geburtstagskuchen, den Papa gebacken und mit Zuckerguss in mindestens sieben verschiedenen Farben verziert hatte.

2.

Sternheim und Herr Edgar

*H*err Edgar und Sternheim, der Vater von Max, waren Freunde. Sie kannten sich schon seit ihrer Schulzeit.

Herr Edgar war der beste Mathematiker in der Klasse gewesen und hatte Sternheim immer bei den Geometrie-Hausaufgaben geholfen. Dafür hatte ihm Sternheim die

Bilder für den Kunstunterricht gemalt. Sternheim hatte eine Eins in Kunst und war ein Meister im Farbenmischen.

Herr Edgar wollte später mal Mathematiker werden oder Physiker.

Sternheim träumte davon, ein berühmter Maler zu werden, dessen Bilder in allen Museen der Welt ausgestellt wären.

Herr Edgar wurde dann Landwirt und Sternheim Apotheker.

Schuld daran waren ihre Väter. Herrn Edgars Vater hatte gesagt: »Mathematiker? Wie stellst du dir das vor? Was soll denn dann aus unserem Hof werden? Dein Urgroßvater war Bauer, dein Großvater war Bauer, ich bin es und du wirst auch einer. Basta!«

»Basta!« hieß bei ihm: Ende der Diskussion, keine Widerrede!

So war Herr Edgar Bauer geworden.

Man kann allerdings beim besten Willen nicht behaupten, dass Herr Edgar ein besonders erfolgreicher Bauer geworden wäre und es zu Reichtum gebracht hätte. Er konnte sich nicht einmal einen Mercedes-Diesel leisten wie die meisten seiner Berufskollegen. Wenn Herr Edgar seinen Freund Sternheim in der Stadt besuchte, dann entweder mit dem Traktor oder auf seinem Mofa.

Vielleicht lag es daran, dass er viel zu wenig Zeit damit verbrachte, seine Felder umzupflügen oder zu düngen. Lieber stand er im Stall und trug Zahlen in eine riesige Liste ein, die er mit vierzehn Stahlstiften rechts neben der Stalltür an die Wand genagelt hatte.

Zum Beispiel maß er jeden Morgen den Abstand zwischen den Nasenlöchern seines Schweins und setzte das Ergebnis in Beziehung zu dessen Gewicht. So konnte Herr Edgar bereits nach achtzehn Monaten mathematisch exakt nachweisen, dass der Abstand zwischen den Nasenlöchern

im gleichen Verhältnis größer wurde, wie das Schwein zunahm.

Auch Sternheim hatte seine Kinderträume begraben müssen. Schon sein Urgroßvater war Apotheker gewesen, hatte die Sternheimsche Apotheke gegründet und sie berühmt gemacht. Sternheims Großvater hatte die Apotheke dann übernommen. Er war ein genialer Erfinder von Medikamenten, Tinkturen und Schönheitsmitteln gewesen. Die städtische Zeitung hatte ihn damals sogar den »Magier aus der Löwengasse« genannt, weil er es geschafft hatte, durch ein von ihm gebrautes Mittel den zweiten Bürgermeister von der Trunksucht zu heilen.

Als Sternheim seinem Vater von seinem Wunsch erzählte,

auf eine Kunstschule zu gehen und Maler zu werden, hatte der nur den Kopf geschüttelt und gesagt: »Mein Großvater war Apotheker, mein Vater auch. Ich war immer der Beste in

Geschichte, Spezialgebiet deutsches Mittelalter. Als Kind wollte ich unbedingt Historiker werden. Aber was wäre dann aus der Sternheimschen Apotheke geworden? Manchmal muss man eben seine Kinderträume vergessen. Verstehst du?«

Sternheim hatte verstanden. So war Herr Edgar Bauer geworden und Sternheim Apotheker.

Sternheim und Herr Edgar hatten aber noch etwas gemeinsam. Beide waren mit ihrem Namen nicht einverstanden. Sternheim mit seinem Vornamen, Herr Edgar mit seinem Nachnamen.

Herr Edgar hieß mit Familiennamen »Schregglich«. Wenn er sich jemandem vorstellte, eine Verbeugung machte und dabei seinen Namen nannte: »Schregglich«, fragte man bestimmt: »Was finden Sie denn so schrecklich?«

Es nützte auch nichts, wenn er es anders versuchte und etwa sagte: »Mein Name ist Schregglich«, weil man dann fragte: »Wieso? Wie heißen Sie denn?«

Deswegen beschloss Herr Edgar einfach, seinen Nachnamen zu verschweigen. Wenn er sich vorstellte, sagte er jetzt immer: »Nennen Sie mich einfach Herr Edgar!«

Max' Vater dagegen verschwieg gern seinen Vornamen und nannte sich einfach nur »Sternheim«. Er hieß nämlich mit Vornamen »Pippin«, und das hatte ihm schon in der Schule viel Spott eingebracht. Zu seinem ungewöhnlichen Vornamen war er gekommen, weil sein Vater unter allen Königen des Mittelalters Pippin den Dritten am meisten schätzte.

Damit Sternheims Sohn nicht auch unter einem ungewöhnlichen Namen leiden musste, hatte er ihm einen einfachen, kernigen Namen gegeben: Max.

3.

Die merkwürdige Alte

Das Nächste, was dann passierte, war, dass Herr Edgar mal wieder seinen Traktor im Halteverbot parkte, in die Apotheke gestürmt kam und zu Sternheim sagte:»Du musst mir helfen. Es geht so nicht weiter. Die Ernte fällt jedes Mal schlechter aus, das Gras will nicht wachsen, von den Kartoffeln ganz zu schweigen. Den Salat haben mir die Schnecken weggefressen und die Zwiebeln, die ich gesteckt habe, kann ich einfach nicht mehr wiederfinden. Dabei hatte ich mir doch einen recht genauen Plan im Maßstab 1:50 gemacht.«

»Guten Morgen, Herr Edgar«, sagte Sternheim erst mal. Er legte Wert auf Höflichkeit.»Und jetzt soll ich dir beim Zwiebelnsuchen helfen?«

»Unsinn«, antwortete Herr Edgar.»Du sollst mir ein extrastarkes Düngemittel mixen. Damit dieses ganze Zeugs da auf meinen Äckern wächst und gedeiht. Wozu habe ich denn einen Apotheker als Freund?«

»Aber soweit ich mich erinnere, habe ich dir letzten Monat schon ein Düngemittel gebraut«, sagte Sternheim.

»Ja, ja, das hast du«, gab Herr Edgar zu.»Aber das war noch nicht optimal. Ich hab das Gras damit gedüngt. Es ist richtig in die Höhe geschossen, das war schon recht vielversprechend. Aber dann hat es leider Locken bekommen.«

21

»Locken?«, fragte Sternheim. »Was meinst du damit?«

»Na ja, es hat sich so komisch geringelt und sah eher wie die grüne Holzwolle aus, die man als Ostergras kauft.«

»Tut mir Leid. Da hatte ich wahrscheinlich zu viel Nadrolon reingemischt«, sagte Sternheim. »Musstest du das Gras wegwerfen?«

»Nein, ich hab's meinem Hasen verfüttert. Es hat ihm sogar geschmeckt. Aber vielleicht versuchst du es einfach noch mal«, bat Herr Edgar. »Lockige Mohrrüben kann ich ja schlecht auf dem Markt verkaufen. Und Lauch mit Locken krieg ich wahrscheinlich auch nicht los.«

»Ich werd's versuchen«, sagte Sternheim. »Gib mir fünf Tage Zeit.«

»Fünf Tage? Das wären ja 120 Stunden, beziehungsweise 7200 Minuten«, rechnete Herr Edgar. »Geht's nicht auch ein bisschen schneller?«

»Na gut, ich werde mich beeilen. Wenn das Düngemittel fertig ist, gebe ich dir Bescheid«, sagte Sternheim. »Was für eine Farbe soll es denn haben? Ich schlage Grün vor, das passt zur Pflanzenfarbe.«

»Die Farbe ist mir egal«, antwortete Herr Edgar. »Hauptsache, die Pflanzen wachsen schneller. So, nun muss ich aber los, um siebzehn Uhr zwanzig bekommt mein Schwein die zweite Fütterung, siebzehn Uhr vierzig kommen dann die Hühner dran. Wiedersehn, Sternheim.«

»Du brauchst dich nicht so zu beeilen, Herr Edgar. Meine Uhr geht fünf Minuten vor!«, rief Sternheim hinter ihm her. Herr Edgar war nämlich nach einem Blick auf die große, runde Uhr über dem Apothekenschrank zur Tür gerannt.

Die fünf Minuten waren sogar noch untertrieben, denn

die Uhr ging fast zehn Minuten vor. Sternheim hatte am Mittag den großen Zeiger ein bisschen weitergeschoben, damit er früher Feierabend machen und noch ein bisschen malen konnte.

Aber Herr Edgar hatte die Tür schon von außen geschlossen.

Durchs hohe, schmale Schaufenster sah Sternheim, wie Herr Edgar mit einer Politesse sprach. Sie hatte gerade einen Strafzettel wegen Falschparkens ausgestellt und wollte ihn wie üblich unter den Scheibenwischer klemmen. Aber Herrn Edgars Traktor hatte keine Windschutzscheibe und folglich auch keine Scheibenwischer. So steckte sie den Zettel einfach oben in Herrn Edgars Hemdtasche, drehte sich um und ging weg, ohne sich um seine aufgeregten Proteste zu kümmern.

Während Sternheim lächelnd durchs Schaufenster nach draußen blickte, hörte er hinter sich die Ladenglocke bimmeln. Eine alte Frau war hereingekommen.

Sternheim betrachtete sie verwundert. Sie ging ein wenig gebückt, unter dem Rand ihrer schwarzen Mütze ragten schlohweiße kurze Haare heraus und sie hatte trotz des milden Frühlingswetters einen Pelzmantel an.

»Womit kann ich dienen?«, fragte er.

»Womit Sie dienen können?«, fragte die Frau. »Da fällt mir im Moment nichts ein. Wir können ja mal zusammen überlegen ...«

»Ich meine, was ich Ihnen verkaufen kann. Haben Sie ein Rezept dabei? Was möchten Sie haben?«, fragte Sternheim. Er bemühte sich, langsam und deutlich zu sprechen. Die alte Frau schien ein bisschen verwirrt zu sein.

23

»Ich möchte nichts haben. Im Gegenteil. Ich möchte Ihnen was bringen«, antwortete sie.

»Bringen? Wie meinen Sie das?«, fragte Sternheim.

Die Frau öffnete einen abgewetzten Rucksack, der so aussah, als sei er mindestens so alt wie sie selbst, und zog mit beiden Händen eine sehr große bauchige Flasche heraus. »Hier«, sagte sie und stellte die Flasche vor Sternheim auf den Ladentisch.

»Ich bin alt. Ach, alt ist gar kein Ausdruck. Schon uralt!«, sagte sie dabei. Sie lächelte, und Sternheim sah, dass ihr ein Vorderzahn fehlte. »Ich habe nicht mehr lange zu leben. Verwandte habe ich sowieso keine. Und es wäre doch schade, wenn man das Elixier nach meinem Tod einfach wegschütten würde. Das finden Sie doch auch, oder?«

»Das Elixier?«, fragte Sternheim vorsichtig.

»Na, das hier«, antwortete sie und zeigte auf die Flasche. »Erkennen Sie das Etikett? Das ist noch von Ihrem Großvater, dem ›Magier aus der Löwengasse‹, wie man ihn genannt hat. Er hat es erfunden und gewissermaßen an mir ausprobiert. Und es hat funktioniert, wie Sie sehen.« Als sie Sternheims fragenden Blick sah, fügte sie hinzu: »Aber er muss Ihnen doch davon erzählt haben. So ein Geheimnis wird doch in einer Familie vom Großvater dem Vater und vom Vater dem Sohn weitererzählt. Stimmt's?«

»Nicht, dass ich wüsste«, sagte Sternheim. Ihm kam die ganze Sache immer merkwürdiger vor. Jetzt erinnerte er sich auch, dass man ihm schon von der seltsamen Alten im Pelzmantel erzählt hatte. Angeblich würde sie bei Vollmond manchmal in ihrem Garten stehen und den Mond ansingen.

»Sie können ruhig offen sprechen«, sagte sie. »Es ist ja

niemand im Laden. Ich habe mir zu Hause eine Flasche da-
von abgefüllt und in den Küchenschrank gestellt. Für alle
Fälle. Die Wirkung hält ja nicht ewig, Sie verstehen. Gehen
Sie halt vorsichtig damit um.«

25

»Damit um?«, wiederholte Sternheim. »Meinen Sie, wenn ich davon trinke?«

»Trinken? Das würde ich Ihnen nicht raten«, sagte sie. »Keine Ahnung, was passieren würde, wenn das ein Mensch trinkt.«

Ein Mensch? Wer denn sonst? Nun war Sternheim klar, dass die Alte wirklich ein bisschen verwirrt war.

Wie konnte er sie nur wieder loswerden? Am besten ist es wohl, wenn ich auf ihre Verrücktheiten eingehe und nicht widerspreche, sagte er sich.

»Das ist aber sehr schön, dass Sie dabei an mich gedacht haben«, sagte er. »Ich weiß Ihr Geschenk zu schätzen.«

»Na also«, sagte die Alte zufrieden. »Ich hab doch gleich gewusst, dass Sie Bescheid wissen. Viel Glück mit dem Saft!«

»Saft?«, fragte Sternheim.

Sie guckte ihn kopfschüttelnd an, erstaunt über so viel Begriffsstutzigkeit.

»Na, den in der Flasche«, sagte sie.

»Ach so, natürlich. Den in der Flasche«, wiederholte Sternheim und lächelte ihr zu. »Dann also danke schön und auf Wiedersehn!«

»Leben Sie wohl«, antwortete sie, drehte sich um und schlurfte aus der Apotheke.

Sternheim betrachtete die Flasche, die nun vor ihm auf dem Ladentisch stand. Sie war mit einem Korken verschlossen und zu zwei Dritteln mit einer hellblauen Flüssigkeit gefüllt.

Sternheim zog am Korken. Die Alte musste ihn mit großer Kraft in den Flaschenhals gedrückt haben, er bekam ihn nur mit Mühe heraus.

Sternheim schnupperte an der Flaschenöffnung. Die Flüssigkeit, von der alten Frau »Saft« genannt, war geruchlos. Vielleicht Wasser, in das sie in ihrer Verwirrtheit blaue Tinte gekippt hatte? Einen Augenblick stand Sternheim unschlüssig da. Dann schlug er den Korken mit der Faust tief in den Flaschenhals, nahm die Flasche mit beiden Händen auf und trug sie ins Hinterzimmer der Apotheke. Dort stellte er sie auf den Labortisch.

Darauf ging er in die Apotheke zurück und schaute durchs Schaufenster nach draußen. Herrn Edgars Traktor war weg und mit ihm Herr Edgar.

4.
Max erzählt und experimentiert

Der Montag fing ganz schlecht an. Erst kam ich fast eine Stunde zu spät in die Schule. Papa und ich hatten zwar mitgekriegt, dass am Sonntag nachts um drei die Uhr umgestellt wurde, wegen der Sommerzeit. Papa hatte gleich am Morgen den großen Zeiger der Apothekenuhr einmal kreisen lassen. Aber meinen Wecker hatten wir vergessen. Als er wie üblich um sechs Uhr dreißig klingelte, war es in Wirklichkeit halb acht. Ich hatte mich schon gewundert, dass auf der Straße keine anderen Schüler zu sehen waren.

Frau Maier-Steinfeld, bei der wir eine Doppelstunde Mathe hatten, sagte: »Typisch Max Sternheim! Hat die Zeitumstellung verpennt! Dir sollte man die Schlafmütze des Monats verleihen!«

Die anderen aus der Klasse lachten, während ich zu meinem Platz schlich. Aber es kam noch schlimmer. Kaum hatte ich mein Heft und das Mathebuch ausgepackt, holte mich die Maier-Steinfeld an die Tafel und ließ mich 55 Minuten in Sekunden umrechnen. Damit mir klar würde, wie viel ich versäumt habe, sagte sie.

Herr Edgar hätte die Aufgabe in drei Sekunden im Kopf gerechnet. Ich brauchte ziemlich lange, bis ich die richtige Lösung hatte. An meinem Platz hätte ich die Sekunden bestimmt ganz schnell ausrechnen können. Aber wenn ich vorne an der Tafel stehe und alle gucken und grinsen, bin ich wie vernagelt. Da fällt mir nichts ein.

Die anderen Stunden liefen nicht viel besser.

Ich war froh, als es endlich zum letzten Mal klingelte und wir nach Hause durften. Aber Robert Steinheuer holte eine Tüte aus dem Papierkorb neben dem Schuleingang, riss sie an der Seite auf und stülpte sie mir über den Kopf.

»Hiermit verleihe ich Max die Schlafmütze des Monats!«, rief er dabei. »Schaut mal: Max ist der Schlafmützen-King!«

Ich sagte: »Lass das, du Doofmann«, und versuchte mir die Tüte vom Kopf zu zerren.

Er hielt sie mit beiden Händen fest. Einige aus der Klasse lachten darüber, aber die meisten fanden das genauso gemein wie ich. Sie trauten sich nur nicht, es zu zeigen. Denn Robert ist der Stärkste aus unserer Klasse und keiner will sich mit ihm anlegen. Ausgerechnet Moritz Brandauer, der Schwächste, sagte schließlich: »He, Robert, jetzt haben es alle gesehn, jetzt ist es nicht mehr witzig. Wirf die Tüte wieder in den Papierkorb!«

Da ließ Robert endlich los und ich rannte nach Hause.

Als ich in unserer Wohnung ankam, war Papa nicht da. Der Tisch war gedeckt, da stand eine Schüssel mit Nudeln und eine zweite mit Hackfleischsoße. Davor lag ein Zettel: »Hallo, Max!! Musste leider weg!!! Dringender Anruf von Doktor Scheel!!! Muss eine eilige Arznei zu seinem Patienten bringen! Guten Appetit!!! Dein Papa!«

29

Papa liebt Ausrufezeichen und schreibt oft drei an Stellen, wo ein Punkt genügt hätte.

Die Nudeln dampften noch. Papa war wohl gerade erst weggegangen.

So aß ich erst mal zu Mittag. Alleine. Nachtisch gab's auch keinen. Das passt zum heutigen Tag, dachte ich.

Nach dem Essen wartete ich auf Papa. Aber er kam nicht. Mir war langweilig, deshalb ging ich hinunter in die Apotheke und holte mir als Nachtisch eine Packung von »Sternheims Original Fruchtgummis, farbenfroh und naturrein«.

Unsere Apotheke ist mittags von halb eins bis zwei Uhr geschlossen, deshalb konnte ich mich ungestört da unten umschauen. Im Hinterzimmer, das Papa immer sein »Labor« nennt, stand die große Flasche mit der hellblauen Flüssigkeit, von der mir Papa erzählt hatte. Die Flasche, die ihm diese verrückte Frau am Samstag geschenkt hatte.

Papa ist ja, wie gesagt, nicht gerade mit Begeisterung Apotheker. Wenn ihn Herr Edgar nicht so gedrängt hätte, wäre er wahrscheinlich erst in ein paar Wochen mal wieder ins Labor gegangen. Nämlich dann, wenn der Fruchtgummi-Vorrat zu Ende gegangen war.

Neben der großen Flasche standen noch einige andere auf dem Tisch, daneben lag ein dickes Buch. Es war beim Kapitel »Düngemittel und ihre Verwendung« aufgeschlagen.

Ich glaube, ich werde mal ein besserer Apotheker als Papa. Oder ich studiere Chemie. Aber das muss man sowieso, glaube ich, wenn man Apotheker werden will. Ich kann jetzt schon Säuren von Basen unterscheiden. Am liebsten mixe ich irgendwelche Flüssigkeiten und beobachte, wie sie dann die Farbe wechseln oder anfangen zu sprudeln.

Papa hatte mir zwar verboten, im Labor irgendwelche Sachen zu machen, wenn er nicht dabei war. Aber schließlich konnte ich ja nichts dafür, dass er jetzt nicht dabei war. Er war selber schuld.

Zuerst nahm ich mir die große Flasche vor. Es war gar nicht einfach, den Korken herauszuziehen. Diese alte Frau musste ihn mit einem Hammer reingeschlagen haben. Aber ich schaffte es schließlich.

Ich hielt die Flasche schräg und kippte ein bisschen von der blauen Flüssigkeit in eine Porzellanschale. Dann holte ich mir das Fläschchen mit der gelben Lebensmittelfarbe, mit der Papa immer die Fruchtgummis färbt, und schüttete ungefähr einen Esslöffel voll in die blaue Flüssigkeit. Ich hatte eigentlich erwartet, dass die Flüssigkeit nun grün würde, denn Gelb und Blau ergibt Grün. Aber die Flüssigkeit blieb blau. Das war merkwürdig.

Ich versuchte es mit einer roten Flüssigkeit: das gleiche Ergebnis. Irgendwie hatte die blaue Farbe die anderen völlig geschluckt. Jetzt probierte ich aus, was passiert, wenn man was Festes reinkippt. Auf einer Tüte stand »Kalisalz«. Ich holte eine Hand voll von dem Zeug heraus, ließ es in die blaue Flüssigkeit rieseln und rührte mit einem Porzellanlöffel um. Das Salz löste sich langsam auf. Sonst passierte nichts. Gerade als ich gucken wollte, was die hellblaue Farbe macht, wenn ich was Dunkelblaues reinkippe, hörte ich, wie Papa die Apotheke von außen aufschloss.

Hätte er mich beim Experimentieren erwischt, hätte er bestimmt geschimpft. So nahm ich die Schale und schüttete den blauen Saft ganz schnell in einen Blumentopf – genauer gesagt, in die Erde des kleinen Zitronenbäumchens, das unter dem Laborfenster steht – und ging hinüber in die Apotheke.

»Hier unten bist du?«, sagte Papa. »Hast du denn schon zu Mittag gegessen? Hast du meinen Zettel gefunden?«

»Ja, hab ich«, antwortete ich. »Ich hab mir zum Nachtisch noch ein Tütchen Fruchtgummis geholt.«

»Ach, deshalb bist du hier«, sagte Papa. »Wie war's in der Schule?«

»Ich bin zu spät gekommen«, antwortete ich. »Ich hab vergessen, den Wecker umzustellen.«

»Ich doch auch«, sagte er. »Sonst hätte ich dich rechtzeitig losgeschickt. Die Apotheke hab ich heute auch mit Verspätung geöffnet. Ein Kunde stand schon vor dem Laden.«

»War ja nicht so schlimm«, sagte ich. »Ich geh nach oben und mache Hausaufgaben.«

Dass ich von Robert als »Schlafmützen-King« verspottet worden war, erzählte ich Papa lieber nicht. Er hätte sich nur aufgeregt und wieder mal gedacht, er sei ein schlechter Vater, weil er mich nicht rechtzeitig geweckt hatte.

Vom Nachmittag gibt es nicht viel zu erzählen, außer dass ein kleiner Möbelwagen im Parkverbot vor unserer Apotheke hielt und Verena Lichtblau in die Dachwohnung über uns einzog. Damals wusste ich natürlich noch nicht, dass sie Verena Lichtblau heißt.

Bis vor einer Woche hatte über uns Herr Raschke gewohnt. Der war dann ausgezogen, weil er geheiratet hatte und seine Frau schräge Wände nicht mochte. Jetzt hatte unser Hausbesitzer die Wohnung also wieder vermietet.

Ich guckte aus dem Fenster und sah, wie eine junge Frau versuchte, einen schweren Sessel alleine aus dem Auto zu heben. Papa musste das auch gesehen haben, unten durchs Schaufenster. Jedenfalls schloss er die Apotheke von außen ab, ging zu ihr und fragte, ob er ihr helfen darf. Sie sagte irgendwas, nickte, und Papa und sie gaben sich die Hand. Dann nahmen sie zu zweit den Sessel und trugen ihn zum Haus.

Ich wollte fast hinunterrufen: »Vorsicht, Papa! Lass das lieber Frau Lissenkow machen.« Denn Papa ist in solchen Dingen so was von ungeschickt. Aber erstens kam ja Frau Lissenkow gar nicht mehr, sie war ja in Rente. Außerdem wollte ich meinen Vater nicht vor der fremden Frau blamieren. Also ließ ich es.

Hätte ich nur gerufen! Denn kurz darauf hörte ich einen polternden Krach oben aus dem Treppenhaus. Ich rannte hinauf. Papa kam mir entgegen. Er humpelte.

»Ist der Sessel abgestürzt?«, fragte ich.

»Nein, nur ich«, antwortete er und rieb sich sein Knie.
»Nicht so schlimm.«

Jetzt kam auch die Frau dazu. »Tut es sehr weh?«, fragte
sie.

»Nein, kein bisschen«, behauptete Papa und verzog das
Gesicht, wie er es immer macht, wenn er Schmerzen hat.

»Darf ich Ihnen meinen Sohn Max vorstellen?«

»Hallo, Max«, sagte sie und gab mir die Hand. »Ich bin
Frau Lichtblau.«

»Tag, Frau Lichtblau«, sagte ich.

Dann half ich Papa und Frau Lichtblau, die restlichen Mö-
bel in die neue Wohnung von Frau Lichtblau zu tragen.

Wir unterhielten uns dabei, und sie war mir gleich sym-
pathisch. Sie erzählte nämlich, dass sie gerne einen Hund
gehabt hätte, aber ihr letzter Vermieter hatte keine Tiere in
der Wohnung geduldet. Ich erzählte ihr, dass unser Vermieter zwar einen Hund in der Wohnung duldet, dass wir bis
jetzt aber noch keinen gefunden hatten, der mir gefiel. Sie
sagte, es sei sehr klug von mir, nicht den erstbesten zu nehmen, und Papa sagte, bei Hunden ist es wie bei Menschen:
Es gibt die Liebe auf den ersten Blick. Und es lohnt sich, darauf zu warten.

5.

Der Wunderdünger

Den Dienstagmorgen verbrachte Sternheim unten in der Apotheke, während Max in der Schule war.

Sternheim bediente Kunden, ordnete dazwischen Rezeptzettel, staubte die Zahnpastatuben im Schauregal ab und sortierte die Teepackungen nach Farben.

Gegen Mittag schloss er wie üblich die Apotheke und wollte eigentlich nach oben gehen, um das Mittagessen vom Vortag aus dem Kühlschrank zu nehmen und in den Mikrowellenherd zu schieben. Vorher warf er aber noch einen Blick ins Labor und blieb verblüfft in der offenen Tür stehen. Das Zimmer war dunkel. Schuld daran war ein Baum, der innen vor dem Fenster stand. Er war so dicht belaubt, dass kaum noch Licht durch die Scheiben fiel.

Sternheim knipste das Licht an und betrachtete den Baum. Merkwürdigerweise wuchs sein Stamm aus demselben Tontopf, in dem vorher das kleine Zitronenbäumchen gestanden hatte. Sternheim kannte den Topf genau, er hatte ihn gleich nach dem Kauf mit einem dunkelgrünen Spiralmuster bemalt.

Die lanzettförmigen, ledrigen Blätter des Baumes glänzten in dunklem Grün. Zwischen ihnen hingen kleine gelbe Früchte. Mandarinen, wie Sternheim feststellte.

Sternheim glaubte zu träumen. Wie war der Baum hier

hineingekommen? Wer hatte das Zitronenbäumchen ent-
fernt und den großen Baum in den Blumentopf gepflanzt?
Das Labor hatte keine zweite Tür, man betrat es durch die

Apotheke. Die aber war über Nacht abgeschlossen gewesen, schließlich hatte er am Morgen den Schlüssel zweimal im Schloss gedreht, daran erinnerte er sich genau.

Völlig verwirrt schloss er die Labortür, ging nach oben in die Wohnung und wartete auf Max.

Als Max aus der Schule kam, bestürmte ihn sein Vater gleich mit Fragen: »Weißt du, wo der große Baum da unten herkommt? Hast du heimlich die Apothekentür aufgeschlossen? Soll das eine Überraschung sein, oder was? Da hat sicher Herr Edgar mitgewirkt, stimmt's?«

Aber Max schüttelte nur verwundert den Kopf und fragte: »Was denn für ein Baum?«

Sein Vater nahm ihn mit nach unten, und Max staunte mindestens so sehr wie vorher Sternheim, als er den Baum sah.

»Kannst du dir vorstellen, wie der hier hereingekommen ist? Hast du was beobachtet?«, fragte Sternheim. »War irgendwer hier drinnen?«

»Nur ich«, sagte Max.

»Du? Was hast du hier gemacht?«, fragte Sternheim.

»Ich hab gestern Mittag ein kleines bisschen experimentiert, als du weg warst«, gestand Max.

»Experimentiert? Was heißt das?«, fragte sein Vater.

»Na ja, ich hab den blauen Saft da mal untersuchen wollen«, sagte Max zögernd. »Ich wollte sehen, was passiert, wenn man ihn mit was anderem mixt.«

»Ich hab dir mindestens schon hundert Mal gesagt, du sollst hier unten nicht spielen, wenn ich nicht dabei bin!«, sagte Sternheim. Dann fragte er neugierig: »Und? Hast du ihn mit was gemischt?«

»Ja«, gab Max zu. »Das Komische ist, dass sich die Farbe überhaupt nicht verändert, wenn man eine andere dazukippt. Das Zeug bleibt immer blau.«

»Immer blau? Das gibt's nicht«, sagte Sternheim. »Zeig doch mal das Ergebnis. Wo hast du denn deine Mixtur hingestellt?«

»Ich hab gehört, wie du die Apotheke aufgeschlossen hast«, sagte Max. »Da hab ich sie schnell weggeschüttet. Dort in den Blumentopf.«

Beim Wort »Blumentopf« stutzten beide, guckten sich an und Sternheim wiederholte: »In den Blumentopf?«

»Meinst du, der blaue Saft ist daran schuld?«, fragte Max aufgeregt. »Glaubst du, das Bäumchen ist dadurch so schnell gewachsen?«

»Das wäre dann allerdings der wirksamste Pflanzendünger der Welt«, sagte Sternheim. »Aber nein, das kann nicht sein. Denn die Pflanze ist ja nicht nur riesig gewachsen, sie hat sich auch verändert. Vorher war es eindeutig ein Zitronenbäumchen, jetzt wachsen Mandarinen dran.«

»Wir könnten es ja mal ausprobieren«, schlug Max vor. »Ich hab da ein bisschen gelbe Farbe reingetan und ein bisschen rote und dann von diesem Kalksalz.«

»Kalisalz«, verbesserte Sternheim. »Und wie stellst du dir das Ausprobieren vor?«

»Wir schütten das Mittel einfach in einen anderen Blumentopf und gucken, was passiert«, sagte Max.

»Ich denke immer noch, dass uns jemand mit diesem Baum einen Streich spielen wollte«, sagte Sternheim. »Aber es kann ja nicht schaden, wenn wir das Ganze noch mal mischen. Probieren wir es also aus!«

Diesmal schütteten sie die blaue Flüssigkeit nicht einfach in ein Schälchen, wie es Max am Tag vorher getan hatte. Sternheim erklärte ihm, es sei professioneller, das Ganze in einem Glaskolben genau zu beobachten. Erst füllte er ungefähr einen achtel Liter des blauen Safts durch einen Trichter in den Kolben, dann gab er einen Löffel gelber Lebensmittelfarbe dazu, schüttelte das Gefäß und hielt es gegen das Deckenlicht, das immer noch brannte.

»Es ist wirklich verblüffend«, sagte er zu Max. »Die ursprüngliche Farbe hat sich kein bisschen verändert. Das Zeug ist noch so strahlend blau wie vorher.«

Unter der Anleitung von Max gab er dann noch etwas rote Farbe und eine Spur Kalisalz dazu, schüttelte wieder das Gefäß und schaute zu, wie sich das Salz auflöste.

»Immer noch blau«, stellte er fest. »Und nun?«

»Ich weiß auch nicht«, sagte Max. »Oben am Küchenfenster steht ein Töpfchen mit Schnittlauch. Wollen wir es da mal ausprobieren?«

Gemeinsam stiegen sie die Treppe hoch zur Wohnung. Dort kippte Sternheim den Inhalt des Glaskolbens vorsichtig zwischen die Schnittlauchhalme. Es war ein bisschen viel Flüssigkeit für den kleinen Topf. Die Blumenerde konnte sie gar nicht ganz aufsaugen, der Rest des blauen Saftes lief unten heraus und füllte den Unterteller, in dem der Topf stand, fast bis zum Rand.

Max und Sternheim starrten erwartungsvoll auf den Schnittlauch.

Zunächst geschah nichts. Sternheim stellte zwei Küchenstühle vors Fensterbrett. Sie setzten sich und warteten.

»Wir müssen jetzt ganz genau beobachten, was ...«, fing

Sternheim an. Weiter kam er nicht. Mit einem Fffffft-Geräusch schossen die Schnittlauchstiele plötzlich nach oben, wurden immer länger und dabei dick wie Lauchstängel, berührten schon fast die Zimmerdecke, der kleine Topf bekam das Übergewicht, stürzte auf den Küchenboden und zerbrach.

Sternheim konnte sich gar nicht fassen vor Begeisterung, umarmte seinen Sohn und rief: »Max, du hast die Entdeckung des Jahrhunderts gemacht, weißt du das? Ein Super-Düngemittel! Sensationell!«

»Ich hab es doch gar nicht erfunden«, sagte Max. »Das macht nur der blaue Saft.«

»Du hast wahrscheinlich Recht. Das macht der blaue Saft. Und den hat dein Urgroßvater erfunden«, sagte Sternheim. »Vielleicht wären die anderen Farben und das Kalisalz gar nicht nötig gewesen. Vielleicht wirkt der blaue Saft ganz allein. Komm mit, wir müssen das ausprobieren!«

Inzwischen war es schon zwei Uhr geworden. Sternheim schrieb auf ein Schild »Heute Nachmittag geschlossen. In dringenden Fällen bitte die Wallenstein-Apotheke in der Langen Straße aufsuchen!«, hängte es innen an die Ladentür und schloss sie ab.

Gemeinsam gingen sie ins Labor und füllten ein Fläschchen mit der blauen Flüssigkeit.

»Und was machen wir jetzt damit?«, fragte Max. »Wir haben doch keine anderen Pflanzen mehr.«

»Draußen gibt es mehr als genug«, sagte Sternheim. »Komm mit in den Stadtpark!«

Sie verließen das Haus durch die Hintertür, gingen aber gar nicht bis zum Stadtpark, denn Sternheim hatte eine bessere Idee. Auf einer Verkehrsinsel in der Straßenmitte stand ein großer Blumenkübel, in dem ein halb dürrer Busch vor sich hin kümmerte. Das Hochbauamt hatte ihn zur Verschönerung des Stadtbilds dort hingestellt.

Sternheim guckte sich um. Kein Mensch war in der Nähe, niemand schaute zu. Schnell kippte er den Inhalt des Fläschchens in den Blumenkübel, nahm Max an der Hand und zog ihn mit sich auf die andere Straßenseite.

In sicherer Entfernung beobachteten sie, was nun geschah. Erst einmal tat sich nichts. Schon glaubten sie, der blaue Saft allein würde doch nicht wirken ohne die üblichen Zutaten, und wollten sich auf den Heimweg machen. Da

schossen die Zweige des Busches mit einem Mal in die Höhe und in die Breite, gelbe Blüten wuchsen aus dem Grün, die Zweige wurden zu Ästen, die bald die Straße nach beiden Seiten überwucherten. Ein Autofahrer bremste mit quietschenden Reifen, stieg aus und betrachtete schimpfend das Pflanzenhindernis. Bald hatte sich auf beiden Seiten der Straße ein Stau gebildet. Staunende und schimpfende Autofahrer stiegen aus ihren Wagen, beguckten sich die Straßensperre, sprachen aufgeregt in ihre Mobiltelefone und versuchten schließlich zu wenden, um einen anderen Weg durch die Stadt zu nehmen.

»Komm, lass uns unauffällig verschwinden«, sagte Sternheim zu Max. »Wir gehen nach Hause. Morgen früh werde ich die Apotheke wohl noch mal schließen müssen. Da packen wir nämlich die Flasche in unseren VW-Bus, fahren zu Herrn Edgar und führen ihm das neue Düngemittel vor. Der wird vielleicht staunen!«

6.
Max erzählt weiter

Herr Edgar kam zu unserem Auto gelaufen, als wir bei ihm vorgefahren waren, und zeigte Papa durch Zeichen, dass er die Seitenscheibe runterlassen solle.

Papa öffnete die Autotür und fragte:»Was gibt's?«

Herr Edgar sagte:»Hallo, Sternheim. Ach, Max ist ja auch dabei! Nett, dass ihr mich besucht. Aber könntet ihr bitte noch mal einen Meter zurückstoßen und ein bisschen weiter nach rechts fahren?«

Unser Auto stand nämlich nicht genau in einem der Rechtecke, die Herr Edgar vor seinem Haus als Parkplätze markiert hatte.

Papa sagte:»Lieber Herr Edgar, sei heute mal nicht so pingelig, wir sind sowieso die einzigen Parker hier. Außerdem bringen wir dir einen Super-Wunderdünger mit, der alles bisher Erfundene in den Schatten stellt.«

Herr Edgar staunte, er hatte nicht damit gerechnet, dass Papa so schnell mit dem Dünger fertig würde. Er konnte ja nicht ahnen, wie wir ihn gekriegt hatten. Als wir ihm aber dann die Flasche zeigten, war er ein bisschen enttäuscht.

»Nur eine Flasche voll?«, fragte er. »Das reicht ja nicht mal für die kleine Wiese.«

»Und ob das reicht«, sagte Papa und lachte. »Die Flüssigkeit muss natürlich verdünnt werden. Wenn wir sie unverdünnt auf deine Wiese kippen würden, müsstest du dir anschließend mit dem Buschmesser einen Weg durchs mannshohe Gras hauen.«

»Jetzt übertreibst du aber gewaltig«, sagte Herr Edgar. »Mannshohes Gras! Das wäre ja dann einen Meter vierundsiebzig hoch. Ich gehe dabei von der durchschnittlichen Größe mitteleuropäischer Männer aus.«

»Wir übertreiben überhaupt kein bisschen«, sagte ich. »Das können wir sofort beweisen.«

Ich fühlte mich auch angesprochen. Schließlich war *ich* es gewesen, der den Wunderdünger entdeckt hatte. Zumindest hatte ich ihn zum ersten Mal angewandt. »Darf ich?«, fragte ich Papa.

Er verstand, was ich vorhatte. »Aber nur einen Tropfen«, sagte er, hob die Flasche aus unserem Auto, zog den Korken heraus und blickte sich suchend um. »Könntest du uns bitte mal einen von deinen elf Teelöffeln leihen?«, fragte er Herrn Edgar.

Ich merkte, dass Papa sich ein bisschen über Herrn Edgars Zählzwang lustig machte, indem er die exakte Zahl der Teelöffel nannte. Herr Edgar kriegte das nicht mit, er schien das für eine normale Bitte zu halten. Er ging ins Haus und brachte uns den gewünschten kleinen Löffel.

Papa ließ einen Tropfen der hellblauen Flüssigkeit in den Teelöffel fallen und gab ihn mir in die Hand.

»Vorsichtig!«, mahnte er dabei. Dann fragte er Herrn Edgar: »Woran darf Max das Düngemittel testen? Was sind das da im Beet zum Beispiel für Pflanzen?«

»Moment, das kann ich dir sofort sagen«, antwortete Herr Edgar, eilte ins Haus und kam mit einem großen zusammengefalteten Plan wieder. »Das sind Radieschen«, sagte er, nachdem er den Plan entfaltet und die Zeichnung darauf studiert hatte. »Eindeutig Radieschen. Es geht doch nichts über eine sorgfältige Buchführung.«

Ich nahm den Löffel mit der Flüssigkeit und ließ den Tropfen auf eines der kleinen Pflänzchen fallen, genau zwischen die runden zartgrünen Blättchen.

»So«, sagte Herr Edgar. »Das dritte Radieschen von rechts wäre also gedüngt. Mal sehen, ob es sich in den nächsten Tagen besser entwickelt als die Pflänzchen daneben. Kommt ihr mit ins Haus? Ich lade euch zu einer Tasse Pfefferminztee ein.«

»Warte!«, rief Papa, denn Herr Edgar war schon drauf und dran, ins Haus zu gehen. »Willst du nicht das Ergebnis sehen?«

»Ergeb…?«, fragte Herr Edgar. Weiter kam er nicht. Mit vor Staunen aufgesperrtem Mund guckte er zu, wie die Radieschenblätter in die Höhe schossen und dabei breit wurden wie ein Topfdeckel. Unten, wo die Stiele begannen, schob sich jetzt eine runde, weiße Halbkugel aus der Erde, groß wie ein Kürbis.

Herr Edgar fasste die Stiele mit beiden Händen und zog die dicke Wurzel aus der Erde. »Das … das ist nicht zu fassen!«, rief er dabei. »Wirklich nicht zu glauben: Das ist eindeutig ein weißer Rettich. Und nach meinem Plan müssten hier rote Radieschen wachsen.«

»Ist das alles, was du dazu zu sagen hast?«, fragte Papa, ein bisschen gekränkt.

»Nein, natürlich nicht. Es ist fantastisch. Ich gratuliere, du hast dich selbst übertroffen. Noch nie hat man von einem derart schnell wirkenden Dünger gehört«, sagte Herr Edgar. »Ein Wundermittel!«

»Da sagst du was Wahres«, antwortete Papa stolz. »Ein richtiges Wundermittel.«

»Papa, wie kommt es eigentlich, dass die Pflanzen nicht nur wachsen, sondern sich auch verändern?«, fragte ich. »Aus den Zitronen sind Mandarinen geworden, aus dem Radieschen ein Rettich.«

»Hm. Ich weiß auch nicht«, gab Papa zu. »Das könnte uns nur mein Großvater erklären. Aber der lebt ja nicht mehr.«

»Großvater?«, fragte Herr Edgar, der mitgehört hatte. »Was soll der erklären?«

»Nichts von Bedeutung«, sagte Papa schnell. »Lass uns an die Arbeit gehen, mein Düngemittel muss stark verdünnt werden.«

Ich musste fast lachen, weil Papa »mein« Düngemittel sagte. Herr Edgar sollte wohl denken, dass Papa das Mittel erfunden und gemischt hatte.

Herr Edgar ging zum Schuppen, in dem sein Traktor stand, und hängte hinten ein Gerät an. So eine Art Blechwanne auf zwei Rädern. Die hatte ich schon mal gesehen, als er seinen Acker damit gewässert hatte. Herr Edgar füllte genau zwanzig Eimer Wasser in diesen Wannenbehälter. Als Papa einen Schwups vom Wunderdünger einfach aus der Flasche dazukippen wollte, bekam Herr Edgar fast einen Nervenzusammenbruch und beruhigte sich erst, als Papa da-

47

mit einverstanden war, dass die Menge der blauen Flüssigkeit mit einem Messbecher aus Herrn Edgars Küche genau bestimmt wurde.

»Man muss doch das exakte Mischungsverhältnis kennen. Für zukünftige Düngungen«, sagte Herr Edgar.

Während ich den beiden zuguckte, wie sie das Wasser und die blaue Flüssigkeit mischten und Herr Edgar umständlich dazu Notizen machte, hörte man plötzlich ein aufgeregtes Gackern und Kreischen aus dem Hühnerstall.

Herr Edgar schrie: »Das ist schon wieder dieser Köter! Max, geh mal schnell zum Hühnerstall und sieh nach, ob die Tür zu ist!«

»Was für ein Köter?«, fragte ich.

»Ach, so ein Streuner. Treibt sich schon seit zwei Tagen auf meinem Hof rum und macht Jagd auf die Hühner und die Katze. Keine Ahnung, wo er herkommt.«

»Soll ich nicht lieber gehen?«, fragte Papa. »Vielleicht ist der Hund bissig!«

»Nein, nein, der ist ganz friedlich. Gestern hab ich ihn sogar im Haus übernachten lassen«, sagte Herr Edgar. »Der verdammte Kerl kann nur die Hühner nicht in Ruhe lassen. Max, geh schon und schau nach, was da los ist. Ich kann hier nicht weg, das siehst du ja.« Er deutete auf den Messbecher.

Ich ging nach draußen.

Am Ende des Hofes war das Freigehege der Hühner, von einem Drahtzaun umgeben. Ein großer graubrauner, struppiger, langhaariger Hund rannte vor dem Zaun hin und her, während die Hühner auf der anderen Seite des Zauns in Panik vor ihm herflatterten.

»He, lass das!«, rief ich.

Der Hund hörte sofort auf, die Hühner zu jagen, und kam schwanzwedelnd zu mir. Er hatte einen Gesichtsausdruck, als ob er grinsen würde, falls man das von einem Hund behaupten kann. Als würde er mir sagen wollen: »War doch nur Spaß, Kumpel. Ich hab den Hühnern doch gar nichts getan!«

Ich streichelte ihn. Er schien das zu mögen und hielt den Kopf ganz schief dabei.

Und urplötzlich, innerhalb einer Sekunde, verstand ich, was Papa gemeint hatte, als er von der Liebe auf den ersten Blick gesprochen hatte. Ich wusste: Diesen Hund will ich haben!

»Komm mit! Komm!«, lockte ich ihn. Er verstand sofort, rannte voraus, kam wieder zurück zu mir, rannte wieder weg. Er wollte, dass ich ihn fange, mit ihm spiele. Ich nahm ein Stöckchen vom Boden auf, warf es in hohem Bogen durch den Hof. Er rannte hinterher, schnappte sich das Stöckchen, trug es im Maul zu mir, legte es vor mir ab und guckte mich erwartungsvoll an.

Ich vergaß völlig, dass Papa und Herr Edgar im Schuppen den Wunderdünger mischten, spielte mit dem Hund, warf ihm das Stöckchen und bekam es zurückgebracht, rannte mit ihm um die Wette. Schließlich landete das Stöckchen aus Versehen in einer großen Wasserpfütze und mit ihm der Hund. Er kam zu mir, schüttelte sich, Wasser und Schlamm flogen mir um die Ohren, ich war von oben bis unten mit Schmutz bekleckert und ich wusste endgültig: Den Hund will ich oder keinen!

Ich ging hinüber zum Schuppen, wo Papa und Herr Edgar gerade mit der Mischung fertig waren. Ein kleiner Rest der blauen Flüssigkeit war noch in der Flasche, den größten Teil hatte Papa ins Wasser gekippt.

»Herr Edgar, gehört der Hund eigentlich dir?«, fragte ich.

»Max, jetzt stör uns mal bitte nicht«, antwortete Herr Edgar nervös. »Jetzt wird es gerade ganz spannend. Jetzt wird gedüngt.«

»Papa, darf ich den Hund haben?«, fragte ich.

»Max, jetzt lass doch mal den Hund«, sagte Papa. Er war auch ganz aufgeregt. »Der soll jetzt erst mal ins Haus, der stört nur beim Düngen.«

Herr Edgar sperrte den Hund in den Hausflur, startete dann den Traktor, fuhr auf die große Wiese hinter dem Haus, zog an einem Hebel, und in vielen kleinen Strahlen floss die Düngeflüssigkeit hinten aus der Wanne aufs Gras. Er tuckerte die ganze Wiese entlang, zog einen feuchten, dunklen

Streifen hinter sich her, wendete dann, zog daneben einen zweiten feuchten Streifen, dann einen dritten, bis schließlich die Wanne leer war. Dann stellte er den Traktor genau in einem der markierten Parkplätze ab und kam zu Papa gelaufen, der mit mir am Rand der Wiese stand und wartete.

»Seltsam, es tut sich gar nichts«, sagte Papa zu Herrn Edgar. »Vielleicht hast du das Mittel zu sehr verdünnt.«

»Wieso ich?«, fragte Herr Edgar. »Du bist doch auf die Idee gekommen.«

Aber bevor sie richtig in Streit geraten konnten, wer für die Verdünnung verantwortlich war, kam aus der Wiese ein leises, flüsterndes Geräusch. Gerade so, als würde ein starker Wind die Grashalme bewegen. Gleich darauf fingen sie an zu wachsen. Sie wurden zwar nicht mannshoch, aber immerhin fast einen Meter. Das Merkwürdige dabei war, dass das Gras plötzlich Ähren mit kleinen hellroten Körnern kriegte.

»Es funktioniert«, rief Papa und klopfte Herrn Edgar auf die Schulter.

»Aber schau doch, was bedeutet das jetzt?«, fragte Herr Edgar und zeigte aufs Gras. Die Grashalme verfärbten sich. Sie wurden blau. Aber das war noch nicht alles. Sie wurden immer schlaffer und neigten sich bogenförmig nach unten, bis die Grasspitzen den Boden berührten.

»Aha, es funktioniert!«, rief Herr Edgar. »Die Flasche mit dem Rest deines so genannten Wunderdüngers darfst du gerne wieder mit nach Hause nehmen. Du hast wohl wieder zu viel Nadrolon reingemischt? Erst bescherst du mir Gras mit Locken, jetzt blaues Gras.«

»Ich ... ich weiß auch nicht«, sagte Papa kleinlaut. »Es

muss an der Verdünnung liegen. Man darf das Zeug wohl nur unverdünnt gebrauchen. Es tut mir Leid, Herr Edgar.«

»Na ja, nicht so schlimm«, beruhigte ihn Herr Edgar. »Wahrscheinlich kann ich das blaue Zeug trotzdem verfüttern. Immerhin habe ich jetzt mindestens vier- bis viereinhalbmal so viel Gras wie vorher.«

Zusammen gingen wir zum Haus zurück. Jetzt erst guckte mich Papa aufmerksam an. »Wie siehst du denn aus?«, fragte er. »Bist du in eine Pfütze gefallen?«

»Das war der Hund«, sagte ich. Und weil wir damit schon beim Thema waren, sagte ich: »Papa, du hast mir doch zum Geburtstag einen Hund versprochen.«

»Stimmt. Und du hast keinen gefunden, den du mochtest«, antwortete er.

»Doch, hab ich«, sagte ich. »Ich möchte den Hund da im Haus, den Streuner.«

»Aber der gehört doch Herrn Edgar«, wehrte Papa ab.

»Nein, nein, der ist mir zugelaufen. Den dürft ihr liebend gern mitnehmen«, sagte Herr Edgar. »Da werden sich meine Hühner freuen.«

»Na gut. Versprochen ist versprochen«, sagte Papa mit einem Seufzer. »Dann hast du also ab heute einen Hund.«

7.

Max erzählt vom Hund Bello

Der Hund schien gar nichts dagegen zu haben, dass er nun mit uns kommen sollte, und sprang gleich in unseren VW-Bus, als ich ihm die Tür aufhielt und rief: »Komm! Komm rein!«

Auf der Rückfahrt schüttelte er sich allerdings noch mal. Und zwar ziemlich ausführlich.

»Na, sauber!«, rief Papa. Besser hätte es gepasst, wenn er »Na, dreckig!« gerufen hätte. Denn jetzt sah unser Auto von innen ungefähr so schwarz gesprenkelt aus wie mein T-Shirt.

Als wir zu Hause ankamen, stellte Papa die Flasche mit dem Rest der blauen Flüssigkeit unten auf den Labortisch, schaute mich ernst an und sagte: »Max, hör mir gut zu! Du rührst die Flasche mit dem Zeugs nie mehr an. Versprichst du mir das? Wer weiß, was es noch alles anrichten könnte.«

Ich nickte. Er gab sich damit nicht zufrieden und fragte noch einmal: »Ob du mir das versprichst!«

»Ja, ich versprech's«, antwortete ich.

»Na gut. Dann können wir jetzt nach oben gehen und deinen Hund in die Badewanne stecken«, sagte Papa.

Ich freute mich. Er hatte ihn schon *meinen* Hund genannt.

Wir ließen lauwarmes Wasser einlaufen, dann forderten wir den Hund freundlich auf, in die Wanne zu springen. Den Gefallen tat er uns aber nicht. Entweder er verstand es nicht oder er hatte keine Lust dazu. So fassten wir ihn zu zweit, hoben ihn ins Wasser und schrubbten ihn gründlich ab. Erst mochte er es gar nicht und versuchte aus der Wanne zu hüpfen, aber das konnten wir verhindern.

»Dein Hund muss einen Namen kriegen«, sagte Papa. »Wie wollen wir ihn nennen?«

Ich machte die Seifenschale voll Wasser, schüttete sie über

das nasse Fell des Hundes und sagte dabei: »Ich taufe dich hiermit auf den Namen Bello!« Der Name war mir einfach so eingefallen.

Bello schüttelte sich heftig, das Wasser spritzte nur so aus seinem Fell, und nun war auch Papa von oben bis unten nass. Ich dachte schon, er würde jetzt mit dem Hund schimpfen. Aber er lachte laut und sagte: »Bello! Ein sehr schöner Name!«

Und ich spürte: Papa mag den Hund auch.

Dann rieben wir Bello trocken und fütterten ihn anschließend mit dem Rest der Spaghetti und der Hackfleischsoße von gestern.

»Morgen kaufen wir ordentliches Hundefutter und einen Hundekorb für ihn«, sagte Papa. »Heute Nacht kann er mal in deinem Zimmer auf dem Teppich schlafen. Leg ihm am besten eine alte Decke hin, sonst ist der ganze Teppich voller Hundehaare.«

»Ein Halsband und eine Hundeleine kaufen wir auch«, sagte ich.

Papa nickte. »Und ein Hundebuch. Wir haben ja beide keine Erfahrung mit Hunden. Er ist wahrscheinlich völlig unerzogen und muss ein paar Befehle lernen.«

»›Komm!‹ versteht er schon«, sagte ich.

»Wenn das alles ist, ist es nicht gerade viel«, meinte Papa. »Lass mich mal was versuchen!«

Er guckte Bello streng an und rief: »Sitz!« Und augenblicklich setzte sich Bello hin. Papa und ich guckten uns überrascht an.

»Ob Herr Edgar ihm das beigebracht hat?«, fragte sich Papa.

Jetzt versuchte ich mein Glück und rief: »Platz!«

Bello kam angerannt, stemmte seine Vorderpfoten gegen meine Brust und leckte mir das Gesicht ab.

Ich musste lachen und sagte: »Bello, so geht doch nicht ›Platz‹! Schau mal: So was sollst du machen!«

Ich rief noch einmal »Platz!« und legte mich flach auf den Boden. Bello guckte mich erstaunt an und legte sich dann tatsächlich neben mich.

»Guck mal, Papa: ›Platz‹ hab ich ihm auch beigebracht«, sagte ich stolz.

Papa sagte: »Von wegen! Das macht er nur, weil du daneben liegst. Steh mal auf, dann wirst du sehen, dass er überhaupt nichts begriffen hat.«

Ich stand auf, Bello auch. Ich deutete mit dem Finger auf den Boden und rief noch einmal: »Platz!«

Bello schaute mich fragend an. Ich legte mich noch einmal auf den Boden, und sofort legte sich auch Bello hin.

»Na, das hat er schnell kapiert«, stellte Papa fest. »Er scheint ein besonders kluger Hund zu sein. Trotzdem werden wir uns ein Hundebuch anschaffen. Wir müssen lernen, wie man Hunden etwas beibringt. Ich kann mich doch nicht jedes Mal neben ihn auf den Boden legen, wenn er irgendwo ›Platz!‹ machen soll.«

Den ganzen frühen Abend blieb Bello bei mir im Kinderzimmer. Ich hatte Hausaufgaben auf, die ich ziemlich schnell und ein bisschen schlampig erledigte. Bello schnupperte inzwischen alles an, versuchte einen Legostein zu zerbeißen, den er unter einem Regal gefunden hatte, und wollte natürlich auf mein Bett springen. Aber das ließ ich nicht zu, rief

»Sitz!«, und wirklich setzte er sich brav neben das Bett auf den Teppich.

Später stellte er sich vor die geschlossene Kinderzimmertür, winselte und kratzte mit der Vorderpfote daran. Er wollte offenbar raus. Ich öffnete die Tür.

Ich hatte gedacht, dass es ihm im Zimmer langweilig geworden war und er vielleicht den anderen Teil der Wohnung kennen lernen oder dass er mal gucken wollte, was Papa gerade machte. Aber er ging sofort zur Wohnungstür und kratzte auch daran.

»Bello muss mal«, sagte Papa. »Er ist offensichtlich stubenrein. Das ist schon mal sehr gut. Besser, du bindest ihn an, wenn du mit ihm ins Freie gehst. Nicht dass er dir wegrennt auf Nimmerwiedersehn.«

»Bello rennt bestimmt nicht weg«, sagte ich. »Der bleibt jetzt bei mir.«

»Ich bin mir da nicht sicher. Er muss sich erst an unsere Wohnung und uns gewöhnen. Hier, nimm meine Krawatte und binde sie ihm als Halsband um. Daran kannst du ihn führen.«

Bello sah direkt vornehm aus, als er mit Papas roter Krawatte um den Hals mit mir die Treppe runterging.

Draußen ging er ganz friedlich neben mir her, hob an der nächsten Ecke das Bein und zerrte mich zu einem Rasenstück, wo er sich dann mit breit gespreizten Hinterbeinen niederhockte und eine dicke Wurst von sich gab.

Danach ging er neben mir her zum Haus zurück.

Plötzlich bellte in der Ferne ein Hund. Bello spitzte die Ohren und bellte zurück. Es war das erste Mal, dass ich ihn bellen hörte. Er hatte eine tiefe, raue Hundestimme. Der andere

Hund bellte wieder, heftiger. Dann bellte ein zweiter Hund, schließlich sogar ein dritter. Mit einem Mal riss sich Bello los und rannte davon, so schnell, dass ich nicht folgen konnte.

Ich rief und rief und suchte nach ihm. Aber Bello blieb verschwunden.

Aufgeregt rannte ich zurück in unsere Wohnung.

»Papa, Bello ist weg! Er hat sich losgerissen und ist abgehauen«, rief ich.

»Ich hatte schon so was befürchtet«, sagte Papa. »Komm mit, wir suchen nach ihm.«

Zusammen gingen wir nach draußen, riefen »Bello!« und »Bello, komm!«, aber Bello kam nicht wieder.

Traurig gingen wir schließlich ins Haus zurück.

»Du hast ja gehört, was Herr Edgar gesagt hat. Bello ist ein Streuner. Der hält es nirgendwo lange aus«, sagte Papa. »Schade. Wirklich schade. Ich hatte gerade angefangen, mich an ihn zu gewöhnen.«

Ich bestand darauf, dass wir die Haustür und unsere Wohnungstür während der Nacht einen Spalt weit offen ließen. Falls Bello doch noch kam.

Als ich schließlich spät in der Nacht einschlief, war Bello immer noch nicht da.

Am nächsten Morgen ging ich sehr traurig in die Schule. Bello war nicht zurückgekommen.

Der Unterricht war mir egal, ich hörte nicht zu und kriegte nicht mal mit, dass mich Frau Krämer, unsere Musiklehrerin, schon zum zweiten Mal aufgerufen hatte. Ich musste immerzu an Bello denken, den ich so kurz gehabt und so schnell wieder verloren hatte.

Auf dem Heimweg von der Schule war Robert Steinheuer wieder mal besonders gemein, trat mir von hinten auf die Schuhe und versuchte mir die Schultasche aus der Hand zu schlagen. Ich hatte an diesem Tag eine solche Wut, dass ich es mir nicht gefallen ließ wie sonst, sondern zornig auf Robert losging und auf ihn einschlug. Erst guckte er völlig belämmert. Das war er nämlich nicht von mir gewöhnt. Dann fiel ihm wohl ein, dass er ja der Stärkste in der Klasse war. Er packte mich vorne am Hemd und schüttelte mich.

Die anderen aus meiner Klasse kamen angerannt. Einer schrie: »He, schaut mal! Max und Robert kloppen sich.«

In diesem Moment kam ein großer, graubrauner, struppi-

ger Hund mit einer roten Krawatte um den Hals herangestürzt. Er bellte wild und warf sich so heftig auf Robert Steinheuer, dass der mich loslassen musste, rückwärts stolperte und fast hingefallen wäre. Robert drehte sich um und rannte davon, so schnell er konnte. Die anderen aus meiner Klasse wichen respektvoll ein Stück zurück. Moritz Brandauer stieg sogar vorsichtshalber auf eine Mauer.

»He, Bello! Bello, da bist du ja wieder!«, schrie ich und umarmte ihn.

«Ist Bello dein Hund?«, fragte Moritz Brandauer von der Mauer oben.

»Ja, mein Hund«, sagte ich. »Der ist gefährlich. Der beschützt mich.«

»Das ist gut«, sagte Moritz. »Bring den am besten jeden Tag mit. Und wenn Robert wieder so gemein zu einem von uns ist, dann soll ihn dein Hund ruhig mal kräftig beißen.«

Die anderen aus meiner Klasse nickten und zogen sich ganz langsam und vorsichtig zurück. Moritz sprang von der Mauer und schloss sich ihnen an.

Ich war immer noch dabei, Bello zu streicheln und ihn zu loben, als jemand hinter mir fragte: »Ist das dein Hund?«

Diese Frage hatte ich ja vor einer Minute schon mal beantwortet. Ich drehte mich um. Hinter mir stand Frau Lichtblau, unsere neue Nachbarin aus der Wohnung über uns.

»Er heißt Bello«, antwortete ich stolz.

»So ein schöner Hund«, sagte sie. Sie hockte sich neben mich und kraulte Bello am Hals. »So einen hätte ich auch gern.«

Bello genoss das Kraulen und legte seinen Kopf in ihren Schoß.

»Und so zutraulich«, sagte sie. »Gehen wir zusammen nach Hause?«

Also gingen wir zu dritt die Straße entlang, Frau Lichtblau, Bello und ich. Als wir dann die Treppe hochstiegen, sagte Frau Lichtblau: »Du darfst mich mit deinem Hund gern mal besuchen. Jederzeit. Du weißt ja, wo ich wohne.«

»Sie dürfen uns auch gerne mal besuchen«, sagte ich. »Bello freut sich bestimmt. Und Papa wahrscheinlich auch.«

Vor unserer Wohnungstür blieb sie stehen und strich Bello noch mal über den Kopf.

»Und ... und deine Mama?«, fragte sie.

»Meine Mama lebt in Tasmanien oder Tunesien oder so ähnlich. Papa ist geschieden«, sagte ich.

»Das tut mir aber Leid«, sagte sie.

Sie sah dabei aber so aus, als täte ihr das überhaupt nicht Leid.

»Und du?«, fragte sie. »Würdest du dich auch freuen?«

»Ich? Aber klar«, antwortete ich.

»Wiedersehn. Bis bald mal«, sagte sie.

Ich sagte »Tschüs!«, dann ging ich in unsre Wohnung und sie stieg die Treppe hoch zu ihrer.

Papa schob gerade unser Mittagessen in die Mikrowelle, als ich mit Bello reinkam.

»Bello! Du hast ja Bello!«, rief er gleich und kam uns entgegengerannt. »Wo hast du ihn gefunden?«

»Er hat *mich* gefunden«, sagte ich und erzählte Papa alles.

8.

Max erzählt von Herrn Bello

Am nächsten Tag kauften Papa und ich für Bello ein Halsband, eine Leine, acht Dosen und zwei Packungen Hundefutter, grobe Haferflocken, eine Hundebürste, einen Fressnapf, eine Wasserschale und das Buch »Wie erziehe ich meinen Hund?«. Papa wollte auch noch einen Hundekorb kaufen, aber selbst der größte wäre zu klein für Bello gewesen, und der Verkäufer sagte auch, einen Hund könne man gut auf einer Decke am Fußboden schlafen lassen. So luden wir alles in den Kofferraum und fuhren nach Hause, wo Bello auf uns wartete.

Gegen das Halsband hatte Bello nichts einzuwenden, aber es dauerte eine Weile, bis er sich an die Leine gewöhnt hatte.

Zum Üben ging ich mit ihm in die Stadt. Anfangs zerrte Bello wie wild an der Leine, aber nach einer kleinen Weile hatte er begriffen, dass er nur langsam neben mir hergehen musste, wenn er nicht wollte, dass ihm das Halsband auf die Kehle drückte. Ich ging absichtlich durch die Straße, in der Robert Steinheuer wohnte, und spazierte ein bisschen vor seinem Haus auf und ab. Nach einer Weile kam Robert aus der Haustür, wie ich gehofft hatte. Er hatte seine Rollerskates dabei. Er zog die Tür hinter sich zu, setzte sich auf die Stufe und wollte gerade die Rollerskates anziehen, als er Bello und mich entdeckte. Erschrocken sprang er auf und drückte die Wohnungsklingel.

»Hallo, Robert«, sagte ich, hob seine Rollerskates vom Boden auf und drückte sie ihm in die Hand. »Du kannst ruhig dableiben. Der Hund tut dir nichts, der ist gut erzogen. Der greift nur an, wenn ich es ihm befehle.«

»Hallo, Max«, antwortete Robert. »Ich … ich wollte mir nur noch was zu trinken holen in der Wohnung.«

Ich sagte: »Was zu trinken, na klar.«

Bello zog inzwischen heftig an der Leine, zog mich von Robert weg. Er wollte weiter.

»Tschüs dann«, sagte ich. »Bis Montag!«

»Tschüs, Max«, rief mir Robert nach. »Holt dich dein Hund dann wieder von der Schule ab?«

»Mal sehen«, rief ich zurück.

Natürlich würde mich Bello nicht von der Schule abholen, aber das musste Robert ja nicht wissen. Seitdem Bello in der Nacht abgehauen war, ließ ich ihn lieber nicht mehr frei laufen. Wer weiß, ob er noch einmal zurückkommen würde, wenn seine Hundefreunde wieder nach ihm riefen.

Gestern Abend war Bello richtig aufgeregt gewesen, als er draußen die Hunde bellen hörte. Er hatte an der Tür gekratzt, sich dann mit den Vorderpfoten aufs Fensterbrett gestützt und hinausgestarrt, hatte gebellt, hatte uns immer wieder auffordernd angeschaut und kläglich gewinselt.

»Darf ich ihn nicht vielleicht doch rauslassen?«, hatte ich Papa gefragt. »Er tut mir so Leid.«

»Nein, lieber nicht«, hatte Papa gesagt. »Er würde dir ein zweites Mal entwischen. Und wer weiß, ob er ein zweites Mal wiederkäme. Morgen kaufen wir eine Leine, dann hast du ihn fest im Griff.«

Und jetzt, mit der Leine, hatte ich ihn tatsächlich fest im Griff und spazierte den ganzen Nachmittag mit ihm durch die Straßen. Bello schnupperte an allen Laternen und Hausecken, hob an jedem Baum das Bein, beschnupperte auch mal sehr ausführlich eine Hündin, die von ihrer Besitzerin ausgeführt wurde, und war kein bisschen müde, als wir am frühen Abend zu Hause ankamen.

Ich fütterte Bello. Er schaute mir aus großen braunen Augen aufmerksam zu, wie ich das Hundefutter mit einem Löffel aus der Dose in den Fressnapf beförderte, wartete geduldig, bis ich damit fertig war, und fing erst an zu fressen, als ich ihm zunickte und sagte: »Friss, Bello!«

Später führte ich ihn dann noch mal Gassi, damit er »sein Geschäft« machen konnte, wie Papa es nannte.

Er ging die ganze Zeit brav bei Fuß, zerrte auch nicht mehr an der Leine und schien ganz zufrieden zu sein, als wir wieder in der Wohnung ankamen. Ich nahm ihm die Leine ab, und er legte sich gleich in meinem Zimmer auf seine Decke, wobei er sich wie üblich vorher mindestens dreimal um sich selbst drehte.

Ich fragte Papa: »Warum dreht er sich immer, bevor er sich hinlegt?«

»Weil die wilden Hunde früher im hohen Steppengras schliefen und sich erst einige Male um sich selbst drehen mussten, um das Gras niederzutrampeln. So haben sie sich einen weichen Schlafplatz geschaffen«, erklärte Papa mir.

»Aber seine Decke muss Bello ja nicht unbedingt niedertrampeln«, sagte ich.

»Das hat er eben noch so in sich«, sagte Papa. »Aus der Zeit, als die Hunde noch wild waren und in Rudeln lebten.« Später, als ich die Zähne geputzt hatte und im Schlafanzug in mein Zimmer kam, lag Bello immer noch friedlich auf der Decke, die Beine seitlich von sich gestreckt.

»Gute Nacht, Bello. Schlaf gut«, sagte ich, streichelte ihm übers Fell und legte mich dann ins Bett. Aber noch bevor ich das Licht ausgeknipst hatte, sprang Bello plötzlich auf und war hellwach.

»Was ist los?«, fragte ich.

Im gleichen Moment wusste ich es schon: In der Ferne hörte ich nämlich wieder Hundegebell. Bello wurde so aufgeregt wie an den Abenden vorher, rannte aus meinem Zimmer, jammerte, jaulte, winselte und wollte unbedingt ins Freie.

Papa öffnete das Wohnzimmerfenster, Bello stemmte sofort die Vorderpfoten aufs Fensterbrett und bellte hinaus. Die Hunde antworteten. Es hörte sich an wie ein Gespräch. Ein Hund bellte, ein anderer bellte zurück, dann mischte sich Bello ein und bellte auch und hörte aufmerksam zu, während nun der erste wieder was zu sagen hatte.

Papa hielt Bello vorsichtshalber am Halsband fest. »Nicht, dass er uns am Ende aus dem Fenster springt«, sagte er dabei.

»Sind eigentlich alle Hunde so?«, fragte ich Papa. »Wollen alle in der Nacht unbedingt nach draußen?«

»Nein. Normalerweise schlafen Hunde gern in der Wohnung«, sagte Papa. »Ich glaube, das ist bei ihm so, weil er ein

herrenloser Hund war, ein Streuner. Seine Hundefreunde, denen er da antwortet, sind vielleicht Streuner wie er. Wahrscheinlich sind sie nachts zusammen immer auf Jagd gegangen, und nun fehlt ihnen Bello.«

Erst als das Hundegebell nach einer Weile aufhörte, beruhigte sich Bello und ließ sich von mir ins Kinderzimmer locken. Er legte sich auf seine Decke, ich mich ins Bett, und wahrscheinlich sind wir dann gleichzeitig eingeschlafen.

Am nächsten Tag ging ich wieder mit Bello spazieren, fütterte ihn und spielte später mit ihm in der Wohnung Verstecken. Das ging so: Ich sagte im Kinderzimmer zu Bello

»Sitz!« und er blieb brav dort sitzen, während ich mich irgendwo in der Wohnung versteckte, unter Papas Bett oder in der Ecke hinter dem Küchenschrank. War ich gut versteckt, rief ich »Bello, such mich!«. Aber wo ich mich auch immer versteckt hatte: Bello kam ohne Umwege und ohne langes Suchen direkt zu mir gerannt und blieb schwanzwedelnd vor mir stehen. Den ganzen Nachmittag blieben wir in der Wohnung und spielten so.

Und dann kam der Abend, den ich nie vergessen werde, selbst wenn ich mal fünfzig Jahre alt bin oder hundert.

Papa war an diesem Abend im Gesangverein. Am Wochenende geht Papa immer abends zur Chorprobe in den Gesangverein »Franz Schubert«. Er singt da in einem gemischten Chor. Herr Edgar ist auch Vereinsmitglied und sogar der Dirigent. Er und Papa gehen nach der Chorprobe oft noch ein Bier trinken. Deswegen wird es meistens sehr spät, bis Papa nach Hause kommt.

Ich war also mit Bello allein, als draußen die Hunde wieder anfingen zu bellen. Bello wurde immer unruhiger, jaulte, jammerte, guckte mich immer wieder bittend an und zeigte, dass er unbedingt rauswollte. Ich hielt es kaum noch aus und dachte: Vielleicht kann ich ihn irgendwie ablenken. Hatte Frau Lichtblau nicht gesagt, ich könne sie jederzeit mit Bello besuchen? Ich machte Bellos Leine am Halsband fest und ging mit ihm die Treppe hoch. Erst wollte er unbedingt nach unten und zerrte so fest an der Leine, dass ich ihn kaum bändigen konnte. Dann siegte aber wohl seine Neugier und er schnüffelte an jeder Stufe, bis wir vor Frau Lichtblaus Wohnungstür standen. Ich klingelte. Nichts rührte sich. Ich klingelte noch einmal. Aber sie schien nicht da zu sein.

So ging ich mit Bello wieder hinunter, ganz nach unten, an unserer Wohnungstür vorbei und durch die Hintertür in die dunkle Apotheke.

Am Tag zuvor hatte ich mir von hier eine Rolle Traubenzucker-Bonbons geholt und für Bello ein Bonbon hochgeworfen. Er hatte es sich in der Luft mit dem Maul geschnappt, und es hatte ihm so gut geschmeckt, dass er sich gleich auf die Hinterfüße setzte, Männchen machte und noch mehr davon haben wollte. Er bekam aber kein zweites Bonbon, weil Papa in »Wie erziehe ich meinen Hund?« gelesen hatte, dass man Hunden nichts Süßes geben soll.

Ich dachte: Ein zweites winzig kleines Traubenzückerchen kann einem Hund bestimmt nicht schaden. Nein, ganz bestimmt nicht. Und wenn ich Bello erst mal ein bisschen am Bonbon lecken lasse und es dann hochwerfe und ihn danach schnappen lasse, wird ihn dieses Spiel so interessieren, dass er seine Hundefreunde vergisst.

Ich tastete mich durch die dunkle Apotheke. Das Licht wollte ich nicht anknipsen, sonst hätte man mich von draußen durch die Schaufenster sehen können. Die Leine von Bello hatte ich losgelassen, hier unten konnte er ja nicht entwischen.

Während ich weiter im Dunkeln um mich tastete, hörte ich, wie Bello durch die offene Tür ins Hinterzimmer ging, ins Labor, und dort herumschnüffelte. Das war nicht gut, da standen zu viele von Papas Chemikalien, an denen Bello bestimmt nicht lecken sollte. Ich knipste nun doch das Licht an.

Bello war gerade dabei, am Mandarinenbaum das Bein zu heben.

»He, Bello, du kannst hier drinnen doch nicht pinkeln!«, rief ich, nahm seine Leine vom Boden auf und versuchte ihn wegzuziehen.

Dabei geschah es dann. Ich bin wohl mit dem Ellenbogen an die Flasche mit dem blauen Elixier gestoßen. Jedenfalls fiel sie vom Tisch. Die Flasche zerbrach und die ganze Flüssigkeit ergoss sich über den Boden.

Bello fing gleich an, den blauen Saft aufzuschlabbern. Es schmeckte ihm offensichtlich. Wahrscheinlich meinte er, ich hätte ihm was Leckeres zum Trinken spendiert.

»Nein, Bello! Nicht!«, schrie ich. »Der Dünger ist vielleicht giftig!«

Aber es war schon zu spät.

Einen Augenblick geschah gar nichts. Dann gab Bello merkwürdige Geräusche von sich. Sie kamen nicht aus seinem Maul, eher aus dem ganzen Hundekörper. So, als würden Knochen knacken. Bello dehnte sich, stellte sich auf die Hinterfüße, wuchs und wuchs, seine Schnauze wurde kürzer, ganz so, als ob sie in den Kopf zurückgezogen würde, seine langen Ohren wurden rund und fleischig, dann verschwand auch sein Fell immer mehr – und vor mir stand ein nackter, dicht behaarter Mann mit einem Hundehalsband um den Hals, von dem eine Leine herunterhing.

Das Elixier hatte Bello in einen Menschen verwandelt.

Dieser Mensch guckte mich mindestens so verblüfft an wie ich ihn.

»Mmmmm…«, machte er. Dann: »Mmmmax!«, mit tiefer, rauer Stimme. Dann noch einmal: »Max!«

»Bello, du … du bist ein Mensch!«, stammelte ich, als ich meine Sprache wiedergefunden hatte.

»Du bist ein Mönsch«, wiederholte er, guckte an sich herunter und nickte dann. »Ja, du bist ein Mönsch.«

»Nein, *du*! Du bist ein Mensch. Du musst sagen: *Ich* bin ein Mensch!«

»Hmmm?«, machte er. Das Wort »ich« schien er nicht zu kennen.

»Du, Bello, bist ein Mensch.«

»Bello ist ein Mönsch«, sagte er. Dann immer schneller

und immer begeisterter:»Bello ist ein Mönsch, Bello ist ein Mönsch!«

Ich fragte:»Wieso kannst du sprechen?«

Bello guckte mich erstaunt an und sagte:»Max sprücht doch auch.«

»Ja, aber du bist doch ein Hund«, sagte ich.

»Bello ist ein *Mönsch*!«, verbesserte er mich.

»Ich meine, du *warst* doch ein Hund«, sagte ich.

»Hunde sprechen auch«, sagte Bello.»Hunde sprechen hundlich, Mönschen sprechen mönschlich. Bello ist ein Mönsch.«

»Ein Mensch«, verbesserte ich.

»Ja, ein Mönsch«, wiederholte er.»Und warum ist Bello ein Mönsch?«

»Das hat die blaue Flüssigkeit gemacht, die du getrunken hast. Sie verwandelt also nicht nur Pflanzen, sondern auch Tiere.«

»Verwandelt Türe«, wiederholte Bello und nickte.

»Was mache ich jetzt nur mit dir?«, fragte ich.

»Bello hat kalt. Mönschen haben kein Fell, Haare nur auf dem Kopf. Kalt ist!«, beklagte er sich.

»Wir gehen nach oben in die Wohnung. Da kannst du eine Hose und Jacke von Papa anziehen«, sagte ich.»Aber lass mich erst mal gucken, ob niemand im Treppenhaus ist. Nicht, dass dich Frau Lichtblau so sieht. Du bist ja nackt.«

»Ja, naggt«, wiederholte Bello.»Naggt macht kalt.«

Gemeinsam schlichen wir die Treppe hoch in unsere Wohnung.

Bello ging gleich ins Kinderzimmer.

»Da ist meine Decke da«, sagte er zufrieden, drehte sich

einige Male um sich selbst, legte sich hin und rollte sich auf der Hundedecke zusammen.

»Nein, Bello. Du sollst doch Kleider anziehen«, sagte ich. »Komm mit in Papas Schlafzimmer.«

»Papas Schlafzümmer«, sagte er und stand auf. »Kleider anziehen, ja.«

Ich wühlte in Papas Kleiderschrank und versuchte Bello zu zeigen, wie man in eine Hose schlüpft und wie man ein Hemd anzieht. Das war gar nicht einfach. Wenn ich ihm nicht geholfen hätte, wäre er wahrscheinlich mit den Beinen in das Hemd geschlüpft oder hätte die Hose über den Kopf gezogen.

Ich war so mit Bellos Garderobe beschäftigt, dass ich gar nicht hörte, wie Papa die Wohnungstür aufschloss. Aber Bello hatte es mitgekriegt, er schnüffelte mit hoch erhobener Nase und sagte: »Papa kommt!«

Gleich darauf kam Papa ins Schlafzimmer.

Er blieb mit offenem Mund in der Schlafzimmertür stehen und war einen Augenblick ganz still vor Schreck. Dann rief er aufgeregt: »Was machen Sie in meinem Schlafzimmer? Wer hat Sie überhaupt reingelassen? Wieso haben Sie meine Kleider an? Max, komm sofort her zu mir! Max, wer ist dieser Herr?«

»Dieser Herr?«, sagte ich. »Du wirst es nicht glauben, Papa.«

»Sag schon!«, schrie Papa.

Ich sagte: »Dieser Herr ist Herr Bello.«

9.

Zwei Überraschungen für Sternheim

Sternheim war an diesem Samstagabend wie üblich in den Stadtsaal gegangen, wo sich der Gesangverein »Franz Schubert« zur Chorprobe traf. Hätte er geahnt, was sich im Nebenraum seiner Apotheke ereignete, während er weg war, dann wäre er ganz bestimmt zu Hause geblieben.

Dann hätte er allerdings auch nicht die erste Überraschung dieses Abends erleben können. Im Gegensatz zur zweiten, die er später erleben sollte, war die erste Überraschung eine angenehme. Herr Edgar, der Dirigent und Vereinsvorstand, stellte nämlich ein neues Chormitglied vor. Es war Sternheims nette neue Nachbarin aus dem zweiten Stock.

Herr Edgar klopfte mit dem Taktstock an ein Wasserglas, um sich Gehör zu verschaffen, und rief: »Darf ich zwei bis zweieinhalb Minuten um eure Aufmerksamkeit bitten! Das ist Frau Verena Lichtblau. Sie ist neu in der Stadt und neu bei uns im Chor. Das Anmeldeformular hat sie schon in doppelter Ausfertigung unterschrieben. Ihre Mitgliedsnummer ist 39-Strich-Wei. ›Wei‹ für weiblich. Sie kommt aus München und hat dort bereits im Kantatenchor gesungen, Mezzosopran, und will gern hier bei uns mitsingen. Herzlich willkommen.«

Alle klatschten. Frau Lichtblau lächelte Sternheim zu und

stellte sich schnell zur Soprangruppe. Der Chor begann zu singen. Die Kaffeekantate von Johann Sebastian Bach. »Geboren 1685, gestorben 1750, also im Alter von 65 Jahren«, wie Herr Edgar vorher erklärt hatte. Seine Liebe zu Zahlen konnte er auch im Gesangverein nicht verleugnen.

Nach der Chorprobe gingen Sternheim und Frau Lichtblau gemeinsam nach Hause. Herr Edgar hatte zwar gefragt, ob Sternheim wie üblich mit ihm ein Bier trinken gehe. Aber Sternheim hatte geantwortet: »Heute mal nicht, Herr Edgar. Ich will das Mitglied 39-Strich-Wei nach Hause begleiten.«

So hatte Herr Edgar etwas beleidigt gesagt: »Dann gibt's eben heute mal kein Bier«, war auf seinen Traktor gestiegen und losgefahren.

Wären Sternheim und Frau Lichtblau auf dem kürzesten Weg nach Hause gegangen, hätte Sternheim Max und den Hund Bello in der dunklen Apotheke angetroffen. Sternheim hätte wahrscheinlich das Licht angemacht und Max gefragt: »Was machst du denn nachts hier unten?«, und hätte Max und den Hund mit nach oben genommen. Und aus Bello wäre nie Herr Bello geworden.

Aber die Nacht war lau, und Sternheim und Frau Lichtblau hatten Lust, noch ein wenig spazieren zu gehen und zu plaudern. Es war schon elf Uhr, als sie endlich bei der Apotheke ankamen.

Die Fenster im ersten Stock waren hell erleuchtet.

»Um Himmels willen, da sind ja noch alle Lichter an«, sagte Sternheim. »Max sollte längst im Bett liegen und schlafen.«

»Wahrscheinlich hat er nur vergessen, seine Lampe auszuknipsen«, beruhigte ihn Frau Lichtblau.

»Aber in meinem Schlafzimmer brennt auch Licht«, sagte Sternheim. »Ich muss gleich nach oben und nachsehen, was das bedeutet.«

Nebeneinander stiegen sie die Treppe hoch zum ersten Stock.

»Gute Nacht, Herr Sternheim«, sagte Frau Lichtblau vor Sternheims Wohnungstür.

»Nennen Sie mich einfach Sternheim, das genügt«, sagte er. »Was ich Sie aber noch ganz schnell fragen will: Haben Sie Lust, nächste Woche mal mit mir und Max zu Abend zu essen? Ich koche auch was Feines.«

»Sehr gerne. Wie wär's mit übermorgen?«, fragte sie. »Montags habe ich schon um fünf Uhr frei.«

»Montag ist gut«, sagte Sternheim. »Darf ich Sie noch was fragen? Wer gibt Ihnen um fünf Uhr frei? Mit anderen Worten: Was und wo arbeiten Sie eigentlich?«

»Ich bin Augenoptikerin. Im Brillengeschäft Großfeld und Zahm«, sagte sie.

Während sie schon die Stufen zu ihrer Wohnung hochstieg, rief sie ihm noch zu: »Grüßen Sie Max von mir. Und grüßen Sie auch Bello, Ihren netten Hund. Und seien Sie nicht zu streng zu Ihrem Sohn. Morgen ist Sonntag, da kann er ja ausschlafen.«

Sternheim schloss die Wohnungstür auf und schaute zuerst ins Kinderzimmer. Es war leer, das Bett war unberührt. Während er noch überlegte, wo Max sich wohl versteckt hatte, hörte er eine tiefe Männerstimme sagen: »Papa kommt!«

Die Stimme kam aus Sternheims Schlafzimmer.

Als Sternheim dort eintrat, blieb er vor Schreck und Überraschung erst mal sprachlos neben der Tür stehen. Ein fremder Mann mit langen, buschigen Haaren bediente sich gerade aus Sternheims Kleiderschrank, versuchte ungeschickt, sich Sternheims kobaltblaues Lieblingshemd überzustreifen, und Max stand dabei und tat nichts dagegen!

Ob Max am Ende in der Gewalt des Einbrechers war? Eine Waffe schien der Eindringling allerdings nicht bei sich zu haben.

Sternheim fand endlich seine Fassung wieder und schrie los: »Was machen Sie in meinem Schlafzimmer? Wer hat Sie überhaupt reingelassen? Wieso haben Sie meine Kleider an? Max, komm sofort her zu mir! Max, wer ist dieser Herr?«

Max schaute seinen Vater unsicher an.

»Dieser Herr?«, sagte er. »Du wirst es nicht glauben, Papa.«

»Sag schon!«, schrie Sternheim.

»Dieser Herr ist Herr Bello«, antwortete Max.

»Bello? Was für ein Herr Bello?«, fragte Sternheim.

»Na, unser ehemaliger Hund eben«, sagte Max.

Jetzt mischte sich auch der fremde Mann ein. »Bello ist ein Mönsch«, sagte er stolz, kam zu Sternheim, stemmte ihm die Hände auf die Brust, sagte noch mal: »Bello ist ein Mönsch, Papa«, und versuchte Sternheims Gesicht abzulecken.

»Pfui!«, rief Sternheim. »Weg da! Was soll das!«

Max rief: »Sitz! Bello, sitz!«, und sofort setzte sich der fremde Mann auf den Boden.

Sternheim sah erst jetzt, dass dieser Mann Bellos Halsband umhatte.

»Max, bitte erklär mir jetzt alles, bevor ich durchdrehe«,

sagte Sternheim. Er bemühte sich, ganz ruhig zu sprechen, obwohl er am liebsten geschrien hätte.

»Ich war mit Bello unten im Labor«, begann Max vorsichtig.

»Ja? Und?«, fragte Sternheim.

»Und da ist die Flasche mit dem blauen Wundersaft runtergefallen, Bello hat alles aufgeleckt, und dann ist er eben so geworden«, sagte Max und deutete auf den fremden Mann, der immer noch brav am Boden saß.

»So geworden«, bestätigte der von da unten. »Bello ist ein Mönsch.«

Jetzt musste sich Sternheim auch erst mal setzen. Allerdings auf das Bett und nicht auf den Boden.

»Wie kann das sein?«, fragte er sich. »Natürlich: Das Mittel hat ja nicht nur die Größe der Pflanzen verändert, sondern auch die Art. Aus einem kleinen Radieschen ist ein Riesenrettich geworden. Und aus Bello ...«

»... ein Mensch«, ergänzte Max.

»Was, um Himmels willen, machen wir jetzt mit ihm?«, fragte Sternheim.

»Wieso? Er bleibt natürlich bei uns. Schließlich war er *mein* Hund«, sagte Max.

Sternheim schüttelte energisch den Kopf.

»Wir können doch hier nicht einfach einen Mann, einen ›Mönsch‹, beherbergen, der früher mal ein Hund war. Das grenzt ja an illegalen Tierversuch«, sagte er. »Wenn das rauskommt, kann ich meine Apotheke gleich zumachen.«

»Sollen wir Bello, also, ich meine Herrn Bello, denn einfach wegschicken?«, fragte Max. »Er bleibt bei uns. Ich mag ihn, auch wenn er kein Hund mehr ist.«

»Bello mag auch Max«, sagte Herr Bello, stand auf und versuchte nun, das Gesicht von Max abzulecken. Max wehrte sich lachend.

»Nein, Bello, nicht!«, rief er. »Menschen lecken nicht jemanden ab, wenn sie ihn mögen.«

»Lecken nicht ab?«, fragte Herr Bello. Er stand jetzt in der Zimmermitte und witterte, zog die Luft mit erhobener Nase ein. Dann ging er zu Sternheim und begann ungeniert an dessen Jacke zu schnüffeln. »Papa war bei Herrn Edgar«, stellte er fest. »Und bei der Frau von oben, die Bello gestreuchelt hat.«

»Nenn mich nicht immer Papa«, sagte Sternheim unwillig. »Ich bin nicht dein Papa, ich bin der Papa von Max. Sag Sternheim zu mir.«

»Ja, Bello sagt nur noch Papa Sternheim«, antwortete Herr Bello bereitwillig.

»Nicht Papa Sternheim! Nur Sternheim!«, rief Sternheim, viel lauter, als er eigentlich wollte. Die Situation wuchs ihm aber auch wirklich über den Kopf. »Verstehst du, Bello? Stern-heim.«

Herr Bello schien beleidigt zu sein.

»Gut, Bello sagt nur Sternheim«, wiederholte er.. »Und Sternheim sagt nicht Bello.«

»Nicht Bello? Wie denn sonst?«, fragte Sternheim.

»Sternheim sagt *Herr* Bello«, sagte Herr Bello stolz. »Herr Bello ist ein Mönsch.«

»Meinetwegen, *Herr* Bello«, sagte Sternheim. »Wie soll das nur weitergehen? Am besten, wir schlafen erst mal eine Nacht darüber. Morgen werden wir weitersehen.«

Zu dritt gingen sie aus dem Schlafzimmer. Als Herr Bello an der offenen Küchentür vorbeikam und sah, dass das Spülbecken noch voller Wasser war, rief er: »Trinken, trinken!«, und rannte gleich hin. Max hatte eigentlich das Geschirr abspülen sollen, war aber natürlich nicht dazu gekommen. Ein Teller und einige Tassen ragten aus dem Spülwasser. Herr Bello schob das Geschirr zur Seite, beugte den Kopf tief ins Becken und fing an, das Wasser aufzuschlabbern.

»Herr Bello viel Durst gehabt«, erklärte er dann Sternheim, der kopfschüttelnd zugesehen hatte.

Max fand das eher komisch und bekam einen Lachanfall.

»Na, wie schmeckt Spülwasser?«, fragte er.

Herr Bello sagte: »Mönschenwasser ist nicht sehr gut, hat zu viel Kügeln.«

»Was für Kugeln?«, fragte Max.

»Die da«, sagte Herr Bello und wies auf das Wasser.

Max musste wieder lachen. »Schaum!«, sagte er. »Du meinst Schaum.«

»Ja, Schaummm«, wiederholte Herr Bello brummend.

»Wo legen wir Herrn Bello jetzt nur hin? Wir haben doch kein Bett für ihn«, sagte Sternheim.

»Herr Bello lögt sich bei Max auf Decke wie immer«, sagte Herr Bello und ging voraus ins Kinderzimmer. Dann fiel ihm noch etwas ein. »Erst Gassi gehn! Herr Bello muss pünkeln«, sagte er.

»Wenn du ein Mensch sein willst, dann wirst du auch auf die Toilette gehen wie ein Mensch«, sagte Sternheim. »Du willst doch nicht etwa an der nächsten Laterne ein Bein heben!«

»Tolette?«, fragte Herr Bello.

»Ja, hier hinein«, sagte Max und zeigte ihm die Toilette.
»Hier hinein?«, fragte Herr Bello. »Mönschen machen in eine Suppenschüssel?«

»Das ist keine Suppenschüssel, das ist eine Kloschüssel«, sagte Max, während er die Tür hinter Herrn Bello zuzog. »Und vergiss nicht zu spülen, wenn du fertig bist.«

»Ja, spülen. Herr Bello spült gern mit Max«, verkündete Herr Bello von drinnen.

»Spülen! Nicht spielen!«, rief Sternheim.

Max ging ins Kinderzimmer, zog seinen Schlafanzug an und legte sich ins Bett. Aus der Toilette hörte er Herrn Bello singen: »Herr Bello ist ein Mönsch, Herr Bello ist ein Mönsch, ein Mö-hö-hönsch.«

Dann kam Herr Bello endlich. Er guckte an sich herunter und sagte zu Max: »Will nicht in Kleidern von Sternheim schlafen. Sind eng.«

Max rief: »Papa, hast du einen Schlafanzug übrig für Herrn Bello? Dein Hemd ist ihm zu eng.«

Sternheim kam ins Kinderzimmer. In der Hand hatte er einen langen, weißen Arbeitskittel, den er gewöhnlich in der Apotheke trug.

»Hier«, sagte er zu Herrn Bello. »Der Kittel ist bestimmt nicht zu eng. Den darfst du meinetwegen anziehen.« Zu Max gewandt, setzte er hinzu: »Meinen Füllfederhalter, meine Zahnbürste und meinen Schlafanzug leihe ich nämlich prinzipiell nicht aus.«

»Was ist Füllfederhalter?«, fragte Herr Bello, während er sich umständlich aus Sternheims Kleidern schälte und in den Apothekerkittel schlüpfte.

»Den braucht man zum Schreiben«, erklärte Max ihm.

»Herr Bello will gar keinen Füllfederhalter sowieso nicht«, sagte Herr Bello und schüttelte den Kopf. »Kann ja gar nicht schreuben und lesen.«

»Woher weißt du als Hund überhaupt, dass es Schreiben und Lesen gibt?«, fragte Sternheim.

»Herr Bello ist kein Hund. Herr Bello ist ein Mönsch!«, protestierte Herr Bello.

»Ich meine: als ehemaliger Hund«, verbesserte sich Sternheim.

»Hat Herr Bello bei Max gesehn«, sagte Herr Bello stolz, drehte sich daraufhin drei- oder viermal um sich selbst, legte sich hin, rollte sich auf seiner Decke ein und fing kurz darauf schon an zu schnarchen.

»Gute Nacht, Max. Schlaf gut«, sagte Sternheim und ging kopfschüttelnd aus dem Zimmer.

10.

Nun erzählt wieder Max

Obwohl ich am Abend sehr spät ins Bett gegangen war, wachte ich am nächsten Morgen ganz früh auf.
»Na, Herr Bello, bist du auch schon wach?«, fragte ich leise. Ich wollte ihn nicht wecken, falls er noch schlief. »Oder muss ich jetzt ›Sie‹ zu Ihnen sagen?«
Von unten kam keine Antwort. Ich beugte mich aus dem Bett. Die Decke war leer.
Ich rief: »Herr Bello?«, sprang aus dem Bett und ging hinüber ins Wohnzimmer. »Herr Bello?«, rief ich noch mal.
Papa kam im Pyjama aus dem Schlafzimmer und gähnte. »Du bist schon wach? Was gibt's?«, fragte er.
»Herr Bello ist nicht da«, sagte ich.
»Vielleicht ist er auf der ›Tolette‹ und ›pünkelt‹«, sagte Papa.
Aber in der Toilette war niemand.
Da sah ich die offene Wohnungstür. »Papa, die Wohnungstür steht offen! Herr Bello ist weg. Papa, Herr Bello ist gegangen!«, schrie ich.
»Dann hat er sein Menschsein also dazu genutzt, das zu

tun, was er jeden Abend tun wollte. Er ist abgehauen. Jetzt kann er ja Türen öffnen«, sagte Papa. »Ich frage mich nur, wie seine Hundefreunde wohl reagieren, wenn er als Mensch bei ihnen auftaucht.«

»Abgehauen? Du meinst, er ist für immer weg?«, fragte ich. Man kann sich denken, wie aufgeregt ich war. »Und das sagst du so einfach? Findest du das etwa gar nicht schlimm?«

Papa setzte sich aufs Wohnzimmersofa und zog mich neben sich. »Max, ich verstehe, dass du traurig bist, wenn Herr Bello jetzt weg ist«, sagte er und legte mir den Arm um die Schulter. »Aber ehrlich gesagt: Ich bin eher erleichtert, dass es so gekommen ist. Wie hätten wir anderen Menschen erklären sollen, wer er ist und wo er herkommt? Selbst wenn ich die Wahrheit sagen würde, das würde mir doch keiner glauben. Ein Hund, der plötzlich ein Mensch ist! Die würden doch denken, der Apotheker Sternheim sei verrückt geworden. Und beweisen können wir es auch nicht mehr, denn der letzte Rest vom blauen Saft ist weg. Den hat Herr Bello ja getrunken. Besser gesagt, der Hund Bello. Denn da war er ja noch kein Mensch.«

»Meinst du, er kommt wirklich nicht wieder?«, fragte ich traurig. »Ich fand Herrn Bello so witzig. Mit seiner komischen Sprache. Und er war genauso lieb zu mir wie als Hund. Vielleicht sogar noch netter.«

»Trotzdem ist es ein Unterschied, ob einem ein Hund das Gesicht abschlecken will oder ein Mensch«, sagte Papa. »Ich fand es ausgesprochen widerlich.«

»Ich überhaupt nicht«, sagte ich, stand auf und ging in mein Zimmer, schmiss mich auf mein Bett und drehte das Gesicht zur Wand, um Papa zu zeigen, wie wütend ich war.

Ich hatte überhaupt keine Lust, in die Küche zu gehen und mit ihm zu frühstücken.

Eine ganze Weile hatte ich schon so gelegen, als im Flur das Telefon klingelte. Papa ging ran. Ich hörte ihn aufgeregt sprechen, verstand aber nicht, was er sagte.

Als er aufgelegt hatte, rief er: »Max!«

Ich antwortete nicht. Er sollte ruhig merken, dass ich noch beleidigt war.

Gleich darauf kam er ins Zimmer und rief: »Max, sie haben ihn gefunden!«

»Wer hat wen gefunden?«, fragte ich.

»Herrn Bello!«, rief er. »Schnell, zieh dich an!«

So schnell hatte ich mich noch nie im Leben angezogen.

»Wer hat ihn? Wo ist er? Wer hat denn angerufen?«, rief ich

dabei hinüber ins Schlafzimmer. Denn auch Papa musste sich erst mal anziehen.

»Die Polizei«, rief er von drüben. »Herr Bello ist auf der Polizeiwache. Ich soll als Zeuge aussagen. Sie halten ihn für einen Einbrecher. Sie denken, er hätte bei uns eingebrochen, weil er einen Apothekerkittel mit der Aufschrift ›Sternheimsche Apotheke‹ anhat. Was sollen wir nur sagen? Was machen wir nur?«

»Was wir machen? Das ist doch klar«, rief ich hinüber. »Wir nehmen Herrn Bello mit nach Hause und dann frühstücken wir zusammen. Alle drei. Ganz schön.«

Papa kam ins Kinderzimmer. Er war inzwischen angezogen. »Von wegen: ganz schön! Du hast den Ernst der Lage immer noch nicht erkannt«, sagte er. »Komm, wir gehen.«

11.

Bei der Polizei

Als Sternheim und Max bei der Polizeistation ankamen, wurden sie von zwei aufgeregten Polizisten empfangen, einem jungen und einem etwas älteren, ziemlich dicken. »Der Verdächtige sitzt nebenan«, sagte der junge Polizist leise. »Hier, sie können ihn durch dieses kleine Fenster unbemerkt beobachten.« Sternheim und Max schauten durch ein Wandfenster ins Nebenzimmer. Herr Bello saß auf einem Stuhl, hatte die nackten, schmutzigen Füße auf den Polizeischreibtisch gelegt, kratzte sich gerade ausführlich am Kopf, holte eine Hühnerfeder aus seinem Haar, beguckte sie sich, legte sie auf die flache Hand und pustete. Die Feder schwebte über den Schreibtisch und segelte auf der anderen Seite sanft zu Boden. Herr Bello sah lächelnd zu.

»Eigentlich sieht er ganz harmlos aus«, sagte der junge Polizist.

»Von wegen harmlos!«, sagte der ältere. »Hier, ich lese mal das Protokoll vor: ›Der Verdächtige gibt an, mit Familiennamen Bello zu heißen und mit Vornamen Herr.‹«

»›Bello‹ ist ein italienisches Wort. Das heißt auf Deutsch ›der Schöne‹. Vielleicht ist er ja Italiener. Er spricht auch nur gebrochen Deutsch«, mischte sich der junge Polizist ein.

»Unterbrechen Sie mich nicht«, sagte der ältere Polizist

ärgerlich. »Ich weiß ja, dass Sie Italienisch können.« Er wandte sich wieder an Sternheim. »Ferner gibt er an, sieben Jahre alt zu sein, seinen Vater nicht zu kennen, und als Geburtsort nennt er die Müllkippe. Man weiß nicht: Ist er raffiniert oder verrückt. Es spricht einiges dafür, dass bei ihm da oben ein Schräubchen locker ist.« Der Polizist tippte sich dabei mit dem Zeigefinger an die Stirn. »Er ist uns heute

Nacht schon aufgefallen, wir haben ihn beobachtet, als mein Kollege und ich auf Streife waren.«

»Ja, das stimmt«, sagte der junge Polizist. »Stellen Sie sich vor: Er hat Hunde angebellt. Richtig laut gebellt. Wenn man ihn nicht gesehen hätte, hätte man denken können, da bellt ein echter Hund.«

»Und was haben die Hunde zu ihm gesagt?«, fragte Max.

»Wie meinst du das?«, fragte der ältere Polizist. Er guckte Max an, als sei der vom Mond gefallen. »Zu ihm gesagt? Gebellt haben sie.«

»Ich meine, ob Herr Bello Ihnen erzählt hat, was die Hunde ...«, fing Max an. Aber sein Vater brachte ihn mit einem heftigen »Psssst!« und einem Rippenstoß zum Schweigen.

»Jedenfalls sind die Hunde weggerannt, als er auf sie zuging«, erzählte der junge Polizist weiter. »Das scheint ihn ziemlich fertig gemacht zu haben. Er sah richtig niedergeschlagen aus.«

»Wir hatten da natürlich noch keine Handhabe gegen ihn«, sagte der andere Polizist. »Wir können ja nicht jemanden verhaften, nur weil er bellt. So ließen wir ihn laufen. Aber heute Morgen haben wir ihn dann geschnappt.«

»Geschnappt? Weshalb geschnappt?«, fragte Sternheim.

»Wir bekamen einen Telefonanruf von einem Landwirt, der am Stadtrand eine Hühnerfarm betreibt. Er hat lautes Gegacker aus dem Hühnerstall gehört, und als er nachschaute, hat er diesen Herrn Bello dabei erwischt, wie er gerade mit einem Huhn unter dem Arm aus dem Hühnerhaus rennen wollte. Der Bauer hat ihn mit der Mistgabel in Schach gehalten und uns verständigt. Wir sind sofort gekommen und haben den Dieb festgenommen. Dabei haben wir festgestellt, dass der Kittel, den er trägt, aus Ihrer Apotheke stammt. Er scheint auch da eingebrochen zu haben. Fehlt etwas in Ihrer Apotheke? Haben Sie Einbruchspuren bemerkt?«

Max lachte. »Aber nein, Herr Bello hat nicht bei uns geklaut. Er gehört uns doch«, sagte er.

Es nützte diesmal nichts, dass Sternheim ganz schnell »Pscht!« machte. Der Polizist fragte gleich nach.

»Was heißt, er gehört euch?«, fragte er.

»Max will sagen, dass ...« Sternheim kam ins Stottern. »Dass er *zu* uns gehört. Herr Bello ist, wie soll ich das sagen, ein ... ein Verwandter. Ein sehr entfernter Verwandter. Er kommt nämlich aus Italien. Aus Südtirol, deshalb spricht er Deutsch.«

Nun guckte der Polizist Sternheim so verblüfft an wie vorher dessen Sohn. Aber auch Max schaute erstaunt zu seinem Vater hinüber. Er wusste gar nicht, dass der so flüssig lügen konnte.

»Und das sagen Sie erst jetzt?«, rief der Polizist. »In welchem Verhältnis stehen Sie denn zum Hühnerdieb?«

»Er ist, wie ich schon sagte, ein sehr entfernter Verwandter. Er hat zurzeit leider eine kleine Nervenkrise, Sie verstehen. Er ist manchmal ein bisschen verwirrt. Dann hält er sich für einen Hund und tut Dinge, die er normalerweise nie tun würde. Nie! Man hat ihn zu mir geschickt, damit er sich erholt.«

»Das ist ja schrecklich«, sagte der junge Polizist mitfühlend. »Hält sich für einen Hund!«

»Ja, schrecklich«, bestätigte Sternheim. »Sie wissen ja, ich bin Apotheker, und seine Angehörigen setzen ganz große Hoffnungen in mich. Dass ich ihn heile, Sie verstehen.«

»Ich verstehe«, sagte der ältere Polizist. »Aber was machen wir nun mit ihm? Schließlich hat Ihr Verwandter ein Huhn entwendet.«

»Aber er hat es doch wieder zurückgegeben«, sagte Sternheim.

»Zurückgeben müssen!«, verbesserte der Polizist. »Zurückgeben müssen.«

Sternheim sagte: »Ich bin trotzdem bereit, für den Schaden aufzukommen und dem betreffenden Bauern das Huhn zu ersetzen. Gewissermaßen als Entschädigung für den ausgestandenen Schrecken.«

»Das hört sich schon besser an«, sagte der Polizist. »Dann wollen wir mal ein Auge zudrücken. Sie dürfen Ihren entfernten Verwandten mit nach Hause nehmen. Aber passen Sie in Zukunft besser auf ihn auf!«

Gemeinsam gingen die Polizisten, Sternheim und Max ins Nebenzimmer, in dem Herr Bello immer noch vor dem Schreibtisch saß. Er hatte inzwischen den Inhalt eines Papierkorbs auf den Boden gekippt, beschnüffelte gerade ein

Butterbrotpapier, in dem wohl das Frühstück eines Polizisten eingewickelt gewesen war, und sprang auf, als er Sternheim und Max erkannte.

»Max!«, rief er. »Papa Sternheim!« Er tänzelte freudig um die beiden herum, legte Max dann die Hände auf die Schultern und leckte ihm das Gesicht ab.

Max lachte und rief: »Lass das, Herr Bello!«

Kopfschüttelnd sahen die beiden Polizisten zu. Der junge sagte: »Pfui, das ist ja widerlich!«

»Genau das sage ich auch immer«, bestätigte Sternheim.

»Und Sie lassen es trotzdem zu?«, fragte der ältere Polizist. »Sie als Apotheker wissen doch genau, dass dies extrem unhygienisch ist.«

Der junge fragte: »Und der wohnt also jetzt bei Ihnen?«

Herr Bello mischte sich ein. »Ja, wohnt bei ihnen«, sagte er stolz. »Wohnt bei Max im Zümmer. Herr Bello schläft bei Max.«

»Doch nicht etwa in deinem Bett?«, fragte der ältere Polizist.

»Nein, natürlich nicht«, antwortete Max. »Herr Bello schläft auf seiner Decke. Auf dem Fußboden.«

»Auf dem Fußboden? Hat er denn kein Bett?«, fragte der junge Polizist.

»Herr Bello darf nicht aufs Bett«, sagte Herr Bello.

»Aha, hat kein Bett. Notieren Sie das mal!«, sagte der ältere Polizist zum jüngeren. Der setzte sich an den Schreibtisch und machte Notizen.

Stolz erzählte Herr Bello weiter: »Herr Bello kann schon Gassi wie ein Mönsch. Herr Bello kann schon in die Suppenschüssel pünkeln.«

Der junge Polizist sah von seinem Notizblock hoch. »In eine Suppenschüssel pünkeln?«, fragte er. »Was ist pünkeln?« Ehe Sternheim ihn daran hindern konnte, sagte Max schon: »Er meint pinkeln. Pipi machen.«

»Pipi machen?«, fragte der Polizist entsetzt. »Was sagt denn da deine Mama dazu?«

»Meine Mama sagt gar nichts dazu. Die ist in Tasmanien oder Tunesien«, antwortete Max. »Die jagt da Tiger oder Löwen.«

Der ältere Polizist sagte zum jungen: »Notieren Sie auch das! Sohn weiß nicht, wo sich die Mutter aufhält.«

Sternheim mischte sich ein. »Ich bin geschieden«, sagte er. »Ich bin schon seit Jahren allein erziehender Vater.«

»Mein lieber Herr Sternheim ...«, fing der ältere Polizist an.

»Sternheim. Nur Sternheim, ohne Herr, das genügt«, sagte Sternheim.

Der Polizist schüttelte irritiert den Kopf und begann noch mal: »Lieber Sternheim, ich muss es Ihnen in aller Deutlichkeit sagen: Das, was ich da hören musste, ist unerhört! Unglaublich! Das sind ja unhaltbare familiäre Zustände! Ein offensichtlich gestörter, völlig verwahrloster, nur halb bekleideter Verwandter haust mit dem Jungen in einem Zimmer, ohne Bett, pinkelt in irgendwelche Schüsseln! Eine Mutter gibt es auch nicht. Das ist ja geradezu kriminell! Ich werde morgen sofort Frau Knapp vom Jugendamt benachrichtigen. Sie soll mal bei Ihnen nach dem Rechten sehen.«

»Jugendamt? Was bedeutet das?«, fragte Sternheim.

»Was das bedeutet? Wenn sich bei diesem Kontrollbesuch herausstellt, dass es bei Ihnen so aussieht, wie ich mir das jetzt vorstelle, wird Ihnen das Sorgerecht für den Jungen entzogen. Dann kommt der Junge in ein Heim!«

»Ich will in kein Heim!«, rief Max. »Ich hab's gut bei meinem Papa. Er ist Vater und Mutter zugleich. Hat er selbst gesagt!«

»Das, mein Junge, wird Frau Knapp beurteilen«, sagte der ältere Polizist.

Der junge setzte tröstend hinzu: »Weißt du, diese Heime sind gar nicht so schlecht, wie du vielleicht denkst. Da bist du mit vielen anderen netten Kindern zusammen. Du wirst sehen: Du wirst dich da sofort wohl fühlen.«

»Ich will mich da nicht wohl fühlen«, rief Max. »Ich will bei Papa und Herrn Bello bleiben.«

»Du hast gehört, was mein Kollege gesagt hat: Das hat einzig und allein Frau Knapp zu entscheiden«, sagte der junge Polizist. Und der ältere setzte hinzu: »So, und nun nehmen Sie Ihren Herrn Bello mit und gehen erst mal nach Hause. Alles Weitere wird sich zeigen. Schönen Sonntag!«

12.

Max erzählt von Herrn Bellos Erziehung

Papa und ich waren völlig niedergeschlagen, als wir nun
zu dritt nach Hause gingen. Anders Herr Bello. Der war
nämlich bestens gelaunt und froh, wieder bei uns zu sein. Er
lief auf seinen nackten Füßen weit voraus, kam zurück, um-
kreiste uns und lief wieder weg.

Papa sagte nichts dazu, er war wohl zu sehr mit seinen
düsteren Gedanken beschäftigt, genau wie ich.

»Papa, wenn die mich in ein Kinderheim stecken, breche
ich aus und komm sofort zu dir zurück«, sagte ich.

»Du kommst nicht in ein Kinderheim, das versprech ich
dir«, sagte Papa. »Wir müssen allerdings gut vorbereitet sein,
wenn diese Frau Krapp oder Knapp unsere Wohnung prüft.«

»Wann kommt sie denn wohl?«, fragte ich.

»Solche Kontrollen finden unangemeldet statt«, sagte er.
»In Zukunft wirst du also dein Zimmer immer gut aufräu-
men.«

»Das versprech ich dir«, antwortete ich.

»Ich müsste auch mal wieder die Wohnung putzen«, überlegte Papa. »Seit Frau Lissenkow nicht mehr kommt, ist sie

97

ein bisschen verwahrlost. Die Wohnung, meine ich, nicht Frau Lissenkow. Ich kann mich eben nicht gleichzeitig um die Apotheke und die Wohnung kümmern.«

»Kannst du nicht jemanden anstellen, der in der Apotheke bedient? Dann hättest du mehr Zeit für die Wohnung und auch mehr Zeit für mich«, schlug ich vor. »Frag doch mal Frau Lichtblau, ob sie nicht in der Apotheke helfen will. Die müsste ja nur zwei Stockwerke tiefer gehen, dann wär sie schon an ihrem Arbeitsplatz.«

»Erstens kann ich mir eine Angestellte kaum leisten. Seit hier diese drei andern, modernen Apotheken aufgemacht haben, ist unsere kleine, altmodische etwas aus der Mode gekommen«, sagte Papa.

»Und zweitens?«, fragte ich.

»Zweitens hat Frau Lichtblau einen ganz anderen Beruf. Und drittens ...« Hier machte er eine Pause und guckte ganz nachdenklich. »Und drittens will ich der netten Frau Lichtblau nicht zumuten, den ganzen Tag hinter dem Ladentisch zu stehen und Tabletten zu verkaufen.«

Ich merkte, dass er dabei an Mama dachte, die auch nicht ihr ganzes Leben lang Tabletten verkaufen wollte und uns deshalb verlassen hatte.

»Das Problem ist auch gar nicht die schlecht geputzte Wohnung«, sagte er dann. »Das Problem ist Herr Bello. Wenn er so weitermacht, sind das wirklich ›unhaltbare familiäre Zustände‹ bei uns. Schau ihn dir doch an!«

Wir gingen gerade an einem Spielplatz vorbei, wo einige Kinder spielten. Herr Bello war gleich zu ihnen gerannt und in den Sandkasten gesprungen. Nun hockten alle Kinder um ihn herum und lachten über den seltsamen Erwachsenen.

Herr Bello stand nämlich mitten im Kasten und schleuderte mit beiden Händen den Sand durch seine gespreizten Beine hinter sich. Genauso hatte er als Hund immer gegraben, wenn er mit mir spazieren war und irgendwo in der Wiese ein Mauseloch entdeckte oder roch, dass dort ein anderer Hund einen Knochen vergraben hatte.

Das war nun Papa doch zu viel. Er rief: »Herr Bello, komm sofort her zu uns!«

Herr Bello ließ das Buddeln sein und kam zu uns getrabt.

Papa sagte streng: »Du bleibst jetzt hier und rennst nicht immer weg. Hier bei uns ist dein Platz, verstanden?«

Herr Bello legte sich flach auf den Gehsteig.

»Was macht er denn jetzt schon wieder?«, fragte Papa und guckte verzweifelt zum Himmel.

»Herr Bello ›Platz‹ gemacht«, antwortete Herr Bello stolz von unten.

»Schnell, Herr Bello, steh auf! Was sollen denn die Leute denken!«, rief ich.

Herr Bello erhob sich. Er hatte meinen Ausruf wohl als Frage verstanden, denn er kratzte sich nachdenklich am Kopf und sagte:»Herr Bello weiß nicht, was Leute denken sollen.«

Da Papa wohl immer noch nicht begriffen hatte, warum Herr Bello sich hingelegt hatte, sagte ich zu ihm:»Du hast ›Platz‹ gesagt, verstehst du: ›dein Platz!‹ Und bei ›Platz‹ denkt er natürlich, er soll sich hinlegen. Das haben wir ihm doch beigebracht.«

Auf diese Weise hatte ich allerdings auch das Wörtchen ›Platz‹ ausgesprochen, sogar drei Mal. Und Herr Bello lag wieder flach auf dem Gehsteig.

»Steh sofort auf!«, befahl Papa.»Herr Bello, wenn du bei uns bleiben willst, musst du lernen, wie man sich als Mensch benimmt. Wir werden dich ab jetzt erziehen. Wir werden aus dir einen richtigen Menschen machen, verstehst du?«

»Herr Bello *ist* ein Mönsch«, protestierte Herr Bello.

»Ja, aber was für einer! Willst du, dass Max bei uns bleiben darf, oder ist es dir egal, wenn man ihn mir wegnimmt?«

»Max nicht wegnimmt. Max bleiben«, sagte Herr Bello und versuchte wieder mal, mir seine Liebe durch heftiges Abschlecken zu zeigen.

Ich wehrte ihn ab und sagte:»Ist schon gut, Herr Bello! Wie oft muss man dir noch sagen, dass sich Menschen nicht das Gesicht ablecken?«

»Herrn Bellos Erziehung ist jetzt das Wichtigste«, sagte

Papa. »Das ist unsere einzige Chance, wenn wir bei dieser Frau Klapp oder Knapp einen normalen Eindruck machen wollen. Dieser Mensch muss lernen, sich zu benehmen und nicht mehr unangenehm aufzufallen. Und damit werden wir sofort anfangen, wenn wir zu Hause sind.«

Als wir in der Wohnung waren, wurde Herr Bello erst mal ins Badezimmer geführt. Dort musste er sich in die Wanne stellen und die nackten, schmutzigen Füße waschen. Dann ging es ins Schlafzimmer, wo er eingekleidet wurde. Papa spendierte ihm »einige meiner besten Kleidungsstücke«, wie er sagte. Er hatte sie allerdings ganz hinten aus dem Schrank geholt und schon mindestens drei Jahre nicht mehr angehabt. In Papas Hose und kariertem Hemd sah Herr Bello schon viel normaler aus als im Apothekerkittel. Jetzt fehlten noch die Schuhe.

Papa kramte im Schuhschrank und holte ein Paar weiche, ausgetretene Schuhe heraus.

»Die könnten passen«, sagte er mit einem Blick auf Herrn Bellos Füße.

»Passen?«, fragte Herr Bello. Er schien nicht zu wissen, wozu Schuhe da sind.

Ich reichte sie ihm und sagte: »Menschen tragen Schuhe.«

Herr Bello strahlte. »Schuhe tragen ist leicht«, sagte er und trug sie im Zimmer umher.

»Sie tragen sie an den *Füßen*!«, korrigierte ich.

Das machte Herrn Bello weniger Spaß. Er jaulte und jammerte ein bisschen, als wir ihm die Schuhe endlich angezogen und die Schnürsenkel zugezogen hatten. Erst dachte ich, sie wären ihm zu klein. Aber ich sah, dass sein großer Zeh vorne noch ganz viel Platz hatte. Herr Bello war es einfach nicht gewohnt, Schuhe anzuhaben. Er ging damit ganz komisch durchs Zimmer. Papa und ich mussten fast lachen, weil er bei jedem Schritt den Fuß so hoch hob, als würde er durch einen Bach waten.

»So, nun sieht unser Gast schon recht normal aus«, sagte Papa. »Und an die Schuhe wird er sich auch schnell gewöhnen.«

Er schaute auf seine Uhr. »Es ist schon Mittag. Das Frühstück lassen wir heute mal ausfallen, ich koche uns gleich ein Mittagessen. Nudelsuppe mit Huhn. Max, du kannst schon mal den Tisch decken.«

Während ich drei Teller auf den Tisch stellte und Löffel daneben legte, machte Papa einen Topf Wasser heiß, holte eine Fertigsuppe aus dem Schubfach und mischte sie in einer Suppenschüssel an.

Bevor wir uns an den Tisch setzten, sagte Papa: »Nun kommt die erste Lektion: Hände waschen! Herr Bello, mit so schmutzigen Fingern setzt sich ein Mensch nicht zu Tisch. Ab ins Badezimmer! Max zeigt dir, wie man die Hände mit Seife wäscht.«

Um ihm das deutlich zu zeigen, seifte ich mir die Hände mächtig ein. Herr Bello guckte interessiert zu, den Kopf ganz nah an meinen eingeseiften Händen, nickte und sagte: »Schaummmm.«

Ich sagte: »Ja, genau. Jetzt du!«, und gab ihm die nasse Seife.

Herr Bello nahm sie, wusch sich wie ich ausführlich die Hände und grinste mir zu. Ich wollte schon sagen: »Gut gemacht!«, da glitschte ihm die nasse Seife mit Schwung aus der Faust und schoss wie eine Rakete in die Höhe.

Herr Bello schnappte blitzschnell nach ihr und fing sie mit dem Mund auf. Einen winzigen Moment stand er da, die Seife zwischen den Zähnen, dann spuckte er sie angeekelt durch die Gegend.

»Bääääh!«, rief er. »Schmeckt wie totes Stünktier.«

Als wir endlich am Tisch saßen, sagte Papa: »Nun beginnt die nächste Lektion: Suppe essen.«

»Suppe essen«, wiederholte Herr Bello erwartungsvoll und schaute gespannt zu, wie Papa die drei Teller mit Suppe füllte.

»Wir fangen an«, sagte Papa dann.

»Fangen an«, wiederholte Herr Bello, beugte den Kopf über den Teller und begann die Suppe mit der Zunge aufzuschlabbern.

»Au!«, rief er und fuhr zurück. »Mönschenessen ist heiß!«

Ich hatte erwartet, dass Papa jetzt losschimpfen würde. Aber er sagte ganz ruhig: »Ja, Hundeessen ist kalt, Menschenessen ist heiß. Deswegen essen wir mit dem Löffel.« Papa hielt seinen Löffel hoch. »Max zeigt dir, wie man damit isst!«

»Das geht so, Herr Bello«, sagte ich und führte den Löffel ganz langsam zum Mund.

Herr Bello schaute mit schief gelegtem Kopf zu, griff dann nach seinem Löffel und versuchte es nachzumachen. Aber er fasste den Löffelstiel mit der ganzen Faust, wie ihn kleine Kinder nehmen, klatschte den Löffel erst waagerecht in die Suppe und führte ihn dann zum Mund. Papa und ich schauten gespannt zu. Es kam, wie es kommen musste: Die Suppe auf seinem Löffel landete nicht in seinem Mund, sondern auf seinem Bauch.

»Au!«, machte Herr Bello schon wieder und guckte an sich hinunter. »Mönschenessen ist heiß *im* Bauch und *auf* Bauch.«

»Und nachdem du auf diese Weise gleich dein neues Hemd versaut hast, können wir ohne Hemmung weiterüben«, sagte Papa. »Der nächste Löffel! Genau! Und der übernächste! Na, siehst du, es geht schon besser, du hast schon ein bisschen Suppe in den Mund gekriegt.«

Nach dem Mittagessen bekam Bello ein neues, blau gestreiftes Hemd angezogen, das auch viel besser zu seiner blauen Hose passte. Dann folgte die nächste Lektion.

»Wir üben jetzt etwas ganz Wichtiges«, sagte Papa. »Wir üben Begrüßung.«

»Begrüßung«, wiederholte Herr Bello eifrig.

Papa ging zur Wohnungstür und öffnete sie. »Also, ich bin jetzt die Frau Krapp oder Knapp vom Jugendamt«, sagte er. Herr Bello grinste mich an, als wollte er sagen: »So leicht lässt sich ein Herr Bello nicht täuschen!«, schüttelte den Kopf und rief: »Stümmt nicht! Du bist Papa Sternheim.«

«Nein, falsch!«, rief Papa unwillig.

»Nur ›Sternheim‹, nicht Papa«, verbesserte sich Herr Bello schuldbewusst.

Ich sagte: »Herr Bello, Papa *spielt* doch nur die Frau vom Jugendamt.«

»Ach so, Sternheim spült die Frau«, sagte Herr Bello.

Papa hatte sich wieder beruhigt. »Also, ich bin die Frau vom Jugendamt und komme zur Tür rein«, erklärte er. »Und du begrüßt mich und sagst: ›Guten Tag, freut mich.‹ Hast du das verstanden?«

»Hab verstanden«, antwortete Herr Bello. »Guten Tag, froit mich.«

»Versuch mal ein bisschen besser zu sprechen: Gu-ten Tag, freut mich.«

»Gu-ten Tag, freut mich«, wiederholte Herr Bello.

»Na also!«, sagte Papa. »Es geht los!«

Er ging raus, zog die Wohnungstür zu und klingelte.

Ich nahm den Hörer der Sprechanlage ab und fragte: »Hallo, wer ist da?« Ich wollte es schließlich ganz echt machen. Ich tat so, als lauschte ich in den Hörer, und sagte dann: »Ach, Frau Knapp vom Jugendamt! Was für eine Überraschung! Wir freuen uns ja so über Ihren Besuch. Einen Augenblick, ich mache gleich auf!«

Herr Bello stand aufgeregt neben mir und trat vor freudiger Erwartung von einem Bein aufs andere.

Ich öffnete die Tür, Papa kam herein, streckte Herrn Bello die Hand hin und sagte: »Guten Tag, ich bin Frau Krapp vom Jugendamt.«

Herr Bello sagte artig: »Gu-ten Tag, freut mich«, legte Papa die Hände auf die Schultern und leckte ihm die Wange ab.

»Nein, die Hand!«, rief Papa. Nun war er aber richtig ärgerlich. Er streckte Herrn Bello die Hand entgegen und rief noch einmal: »Die Hand!!!«

Herr Bello nickte, um zu zeigen, dass er es jetzt begriffen hatte, sagte: »Gu-ten Tag, freut mich«, und begann Papas Hand abzuschlecken.

Papa zog seine Hand weg und versteckte sie hinter dem Rücken.

»Genug! Mir reicht's«, sagte er. »Wir üben morgen weiter.

Man kann eben nicht an einem Tag aus einem Hund einen Gentleman machen.« Damit ging er aus dem Zimmer. Herr Bello guckte bekümmert, als Papa die Tür hinter sich geschlossen hatte.

»Sternheim ist böse mit Herrn Bello«, sagte er, während er sich einige Male um sich selbst drehte und dann neben das Sofa auf den Boden legte.

»Nimm's nicht so schwer«, sagte ich und setzte mich neben ihn auf den Teppich. »Du wirst es schon noch lernen. Du sprichst auch schon viel deutlicher.«

»Es ist aber schwör. Immer muss ich alles lörnen. Sternheim sagt, ich bin kein Mönsch«, beschwerte sich Herr Bello. »Die Hunde göstern Abend haben gesagt: ›Hau ab, du Mönsch, geh zu deinen Zweibeinern!‹ Was ist denn Herr Bello?«

»Was du bist? Du bist mein bester Freund«, sagte ich und strich Herrn Bello über den Kopf. »Los, steh auf und komm mit mir nach draußen. Wir gehen spazieren.«

»Spazieren.« Herr Bello nickte, stand auf und schaute sich suchend um. »Wo ist die Leine?«

Ich musste lachen. »Menschen brauchen keine Leine.«

»Spazüren ohne Leine«, wiederholte Herr Bello zufrieden. »Schön!«

13.

Essenspläne und andere Merkwürdigkeiten

Am Montagmorgen musste Max erst zur zweiten Stunde in die Schule. Die erste fiel aus, weil Herr Sitter, sein Erdkundelehrer, mit einem doppelten Wadenbeinbruch im Krankenhaus lag. Als Max noch leicht verschlafen in die Küche kam, saß sein Vater schon angezogen am Tisch, hatte ein Kochbuch vor sich liegen und versuchte gerade, zwei völlig verklebte Seiten mit einem Messer zu trennen.

»Kabeljau, Lachs oder Steinbutt«, murmelte er dabei. »Fisch ist leicht zu kochen. Auf jeden Fall Fisch. Das ist gut.«

»Fisch?«, fragte Max. »Wann und warum willst du plötzlich Fisch kochen? Das hast du noch nie gemacht.«

»Ich habe Frau Lichtblau für heute Abend zum Essen eingeladen«, sagte Sternheim. »Ich überlege gerade, was ich ihr vorsetze. Es soll etwas Besonderes sein.«

»Ich mag Fisch gar nicht besonders gern«, sagte Max. »Höchstens Fischstäbchen.«

»Fischstäbchen? Das ist zu normal, zu wenig originell«, sagte Sternheim. »Wenn du nicht mitessen willst, kann ich dir ja ein paar belegte Brote in dein Zimmer bringen.«

»Na gut, wenn du sowieso mit Frau Lichtblau allein sein willst, darfst du meinetwegen auch Fisch kochen«, erlaubte Max ihm.

»Füsch kochen?«, fragte Herr Bello, der in diesem Augenblick zur Küchentür hereinkam. »Füsch ist gut. Aber nur der Kopf. Weiter hinten hat er Gräten.«

»Danke für deine guten Ratschläge«, sagte Sternheim und studierte weiter das Kochbuch.

Herr Bello guckte sich suchend in der Küche um, entdeckte eine halb volle Dose Hundefutter im Regal, nahm sich einen gebrauchten Löffel aus der Spüle und begann die Dose auszulöffeln.

»Herr Bello üsst wie ein Mönsch!«, erklärte er kauend. »Üsst mit Löffel!«

»Sehr gut«, lobte Sternheim ohne hinzusehen. »Vielleicht koche ich doch was anderes. Die Fischrezepte klingen alle recht kompliziert.«

»Großer Knochen ist gut«, schlug Herr Bello vor. »Muss aber drei Tage vorher vergraben werden.«

»Das Essen findet leider schon heute Abend statt«, sagte Sternheim. »Und jetzt sparst du dir bitte deine Ratschläge.«

»Oder Fleisch da aus der Dose«, sagte Herr Bello eifrig, ohne sich um Sternheims Anweisung zu kümmern, stieß den Löffel tief in die glibberigen Fleischstücke und hielt ihn Sternheim vor die Nase.

Sternheim riss die Geduld. »Jetzt halt endlich die Schnauze!«, brüllte er.

»Papa, er will dir ja nur helfen«, beschwichtigte Max seinen Vater.

Herr Bello war beleidigt. »Ja, Herr Bello wüll ja nur helfen. Herr Bello sagt nichts möhr. Herr Bello geht spazüren. Ohne Leine«, verkündete er und ging aus der Küche. Dann fiel ihm aber wohl doch noch ein letzter guter Ratschlag ein, den er Sternheim nicht vorenthalten wollte. Er öffnete die Tür und sagte durch den Türspalt: »Und zum Nachtüsch Hundekuchen!«

In der Mittagspause ging Sternheim einkaufen. Er war sich immer noch nicht sicher, was er Frau Lichtblau zum Abendessen vorsetzen sollte. Er beschloss, sich von den Waren in den Geschäften anregen zu lassen.

Hinter der Auslage des Gemüsehändlers stand unter einem Sonnenschirm ein neuer Verkäufer. Herr Sternheim hatte ihn jedenfalls noch nie hier draußen oder drinnen im Laden gesehen. Der Mann war auffallend bleich, seine Haut war fast weiß, er hatte merkwürdige lange Schneidezähne und, wie es Sternheim schien, rote Pupillen.

»Ich hätte gerne von diesen Möhren da«, sagte Sternheim und deutete auf eine Kiste.

Der Verkäufer beugte sich über die Auslage, guckte sich erst um und flüsterte dann Sternheim zu: »Die würde ich nicht nehmen. Nordhang, schlechter Boden. Hat nicht die nötige Süße. Isst man nicht so gerne.« Er lispelte stark. Das machten wohl die weit vorstehenden Schneidezähne. »Hier!«, flüsterte er und deutete auf eine andere Kiste mit Möhren. »Südwestlage! Viel Sonne, viel Süße. Sehr, sehr gut. Mmmmm!«

Er konnte offensichtlich selbst nicht widerstehen, fasste eine Möhre oben am Grünzeug und begann sie schnell nagend aufzuessen.

»Na gut, dann geben Sie mir ein Kilo von den süßen«, sagte Sternheim. »Dann hätte ich gerne noch zwei Knollen Knoblauch.«

»Knoblauch? Nein!«, rief der bleiche Verkäufer. Er machte dabei ein so angeekeltes Gesicht, als müsse er sich gleich übergeben. »Knoblauch ist nicht süß. Knoblauch stinkt.«

»Na, hören Sie mal!«, rief Sternheim. »Ich werde doch hier noch Knoblauch kaufen dürfen.«

Der Ladenbesitzer kam aus dem Laden. »Ah, Herr Sternheim. Guten Tag«, grüßte er.

»Nur ›Sternheim‹, das genügt«, sagte Sternheim.

»Verstehe«, sagte der Ladenbesitzer. »Und was gibt es hier für ein Problem?«

»Der Herr da will mir keinen Knoblauch verkaufen«, sagte Sternheim.

Der Ladenbesitzer sagte zum Verkäufer: »Herr Haas, gehen Sie mal in den Laden und bedienen drinnen weiter!« Dann wandte er sich an Sternheim und sagte halblaut: »Sie müssen entschuldigen, Herr Haas ist neu hier. Benimmt sich manchmal etwas seltsam. Ist aber ein unglaublicher Kenner von Wurzelgemüse. Riesiger Sachverstand, Sie verstehen?«

»Hauptsache, ich bekomme jetzt endlich den Knoblauch«, sagte Sternheim. »Meine Mittagspause ist bald um.«

Er zahlte, ließ sich die Sachen in eine Tüte packen und ging. Im Weggehen sah er Herrn Haas im Ladenhintergrund stehen. Er hatte die Mohrrübe inzwischen ganz aufgenagt und war gerade dabei, ihren Stiel und das Blattzeug zu essen.

Im Supermarkt kaufte Sternheim dann vier Fischfilets und zwei Flaschen Weißwein. Während er seinen Einkaufswagen zur Kasse schob, hörte er eine hohe, aufgeregte Stimme: »Da

sind auch noch ga-ga-ga-ganz viele!« Sechs Frauen standen vor dem Eierregal, öffneten einen Eierkarton nach dem anderen und leerten den Inhalt in einen Einkaufswagen. Der war schon bis zur Hälfte mit Eiern gefüllt. Sternheim überlegte, ob er sich einmischen und den Frauen sagen solle, dass man die Eier besser in den Kartons kauft. Dann ließ er es. Zum einen hatte er es eilig, zum anderen meinte er, dass dies wohl eher die Aufgabe der Kassiererin wäre. Als er an der Kasse stand, der Kassiererin einen Schein reichte und auf das Wechselgeld wartete, wurde er plötzlich beiseite gedrängt. Zwei Frauen schoben den Einkaufswagen mit den Eiern einfach hinter ihm durch, die vier anderen folgten.

Die Kassiererin sprang auf. »He, stehen bleiben! Was soll das?«, rief sie. »Wo kommen denn die ganzen Eier her? Sind Sie verrückt geworden? Wollen Sie die Eier etwa nicht bezahlen?«

»Bezahlen? Das haben wir ga-gar nicht gewusst«, sagte eine der Frauen.

»Ich rufe den Geschäftsführer«, sagte die Kassiererin. »Das ist ja unerhört.«

»Aber vorher geben Sie mir mein Wechselgeld«, sagte Sternheim. »Ich hab's eilig. Meine Mittagspause ist um.« Die Kassiererin zählte ihm die Münzen hin. Währenddessen sausten die Frauen mit dem Einkaufswagen in höchster Geschwindigkeit zur Tür. Als die Kassiererin aufblickte, waren sie schon aus dem Laden und rannten mit fliegenden Röcken davon.

»Hier geblieben!«, rief die Kassiererin und sprang auf. »Halt! Stehen bleiben!«

Aber das nützte natürlich nichts. So setzte sie sich wieder und sagte zu Sternheim: »Ich kann denen doch nicht nachrennen. Ich darf ja die Kasse nicht unbeaufsichtigt lassen. Soll der Geschäftsführer die Polizei benachrichtigen!«

Auf dem Heimweg rannte Sternheim jetzt fast so schnell wie vorher die Eierdiebinnen. Es war schon Viertel vor drei, die Apotheke hätte längst geöffnet sein müssen.

Nur einmal blieb er kurz stehen und studierte ein Plakat. Da wurde das Konzert einer jungen Geigerin angekündigt. Ein gelber Papierstreifen war schräg über das Plakat geklebt. »Heute Abend!!!« war darauf zu lesen.

»Drei Ausrufezeichen! Das hätte von mir sein können«, sagte Sternheim, während er weiterging.

14.
Max erzählt kurz von einem kurzen Konzert

Am Montagabend schloss Papa die Apotheke überpünktlich ab und machte sich dann ans Kochen. Als ich mit Herrn Bello in die Küche kam, stand er schon in einer karierten Schürze am Herd, hatte in der einen Hand einen Kochlöffel, in der anderen ein großes Sieb.

»Was soll's denn geben?«, fragte ich.

»Fisch ...«, antwortete Papa.

»Mag ich nicht«, sagte ich.

»... und Gemüse«, fuhr er fort.

»Mag ich nücht«, sagte Herr Bello.

»Ihr braucht euch gar nicht über mein Essen zu beschweren«, sagte Papa. »Ihr müsst nämlich gar nicht mitessen. Ihr dürft heute Abend Musik hören. Ich habe für dich und Herrn Bello zwei Konzertkarten besorgt.«

»Musik?«, fragte Herr Bello. »Herr Bello mag Musik.«

»Woher kennst du überhaupt Musik?«, fragte ich.

»Herr Edgar hat abends die Geige gespült«, erzählte Herr Bello. »War sehr schön. Herr Bello hat mitgesungen.«

»Mitgesungen? Damals warst du doch noch ein Hund«, sagte Papa.

»Hunde können süngen«, erklärte Herr Bello. »Sehr schön süngen. Herr Bello mag Musik.«

»Dann geh mal in mein Schlafzimmer und such dir einen von meinen Anzügen aus«, sagte Papa. »Max hilft dir. Mit diesen ausgebeulten Hosen kannst du nicht ins Konzert gehen.«

Bevor ich Herrn Bello ins Schlafzimmer folgte, sagte ich zu Papa: »Du schickst mich ins Konzert, weil du mich beim Essen nicht dabeihaben willst. Stimmt's?«

Papa wurde ein bisschen verlegen. »Doch, schon«, antwortete er. »Aber Herrn Bello hätte ich, ehrlich gesagt, nicht so gerne hier, wenn Frau Lichtblau kommt. Und wenn du mit uns isst, will Herr Bello natürlich auch dabei sein. Das Konzert wird bestimmt sehr schön.«

Auf dem Weg brachte ich Herrn Bello bei, was man alles *nicht* tut in einem Konzertsaal.

»Als Konzertbesucher darf man andere Konzertbesucher vor dem Konzert nicht anschnüffeln«, erklärte ich ihm.

»Nach dem Konzert?«, fragte Herr Bello.

»Auch nicht«, sagte ich. »Konzertbesucher legen sich auch nicht auf den Boden und sie rennen nicht herum.«

»Nücht herum«, wiederholte Herr Bello und nickte.

»Und während des Konzerts redet man nicht«, sagte ich noch.

»Herr Bello redet doch nicht beim Konzert!«, antwortete er. »Herr Bello mag Musik.«

»Dann ist es ja gut«, sagte ich.

Zu Beginn des Konzerts ging auch wirklich alles gut. Wenn man davon absieht, dass sich Herr Bello einige Male um sich selbst drehte, bevor er sich auf den gepolsterten Sitz setzte. Wir saßen in der neunten Reihe, Papa hatte uns gute Plätze ausgesucht.

Aber dann geschah es. Als die junge Geigerin anfing, ihr Solo zu spielen, war Herr Bello so hingerissen, dass er die Melodie ziemlich lautstark mitbrummte. Es nützte auch nichts, dass ich ihm den Ellbogen in die Seite stieß. Im Gegenteil, jetzt fing er nämlich an, laut mitzusingen. Man konnte es eigentlich nicht Singen nennen, es war eher ein Jaulen und Winseln, das dann in ein lang gezogenes Heulen überging. Es klang, als würde ein Rudel Wölfe den Mond anheulen.

Die Umsitzenden machten »Pscht!« und »Psssst!«, von hinten rief man halblaut:»Ruhe da vorne!«

Das kümmerte Herrn Bello wenig. Er war so begeistert von der Musik, dass er eher noch lauter mitheulte.

Ich sagte:»Schnell raus hier, Herr Bello! Los, wir gehen raus!«

Während wir uns durch die Reihe drängten, kam auch schon ein Saaldiener angelaufen und flüsterte:»Das ist unerhört! Sie verlassen sofort den Saal! Geräuschlos!«

»Ja, ja! Wir gehen ja schon«, flüsterte ich zurück, fasste Herrn Bello fest beim Arm und ging mit ihm nach draußen.

»Sehr schöne Musik!«, schwärmte Herr Bello auf dem Heimweg.»Sehr, sehr, sehr schön.«

Er schien es gar nicht schlimm zu finden, dass man uns aus dem Saal verwiesen hatte, und ging laut singend neben mir her.

Als wir zu Hause ankamen, war es natürlich nicht zehn oder halb elf am Abend, wie Papa es sich ausgerechnet hatte. Die Kirchturmuhr schlug gerade neun, als ich im ersten Stock klingelte. Ich hatte zwar die Schlüssel dabei, wollte Papa aber ankündigen, dass wir vorzeitig kamen.

Papa öffnete uns die Flurtür und fragte:»Ist das Konzert denn schon aus?«

»Für uns schon«, sagte ich und wollte eigentlich mit Herrn Bello in mein Zimmer gehen.

Aber Herr Bello blieb nach einem Blick durch die Wohnzimmertür wie angewurzelt stehen und sagte:»Ohhhh!«

Der Tisch war perfekt gedeckt, Papa hatte sogar kleine Blumen zwischen die Teller gelegt und eine Kerze angezündet.

Herr Bello rief mir zu:»Herr Bello kennt die Frau!«, und ging einfach voraus ins Wohnzimmer.

Frau Lichtblau saß in einem schönen geblümten Kleid am Tisch und schaute Herrn Bello überrascht an.

Herr Bello ging direkt auf sie zu, streckte die Hand aus, wie er es gelernt hatte, und sagte:»Gu-ten Tag, freut mich.«

Während ihm Frau Lichtblau überrascht die Hand reichte, sagte Herr Bello:»Düch mag ich! Du hast Herrn Bello schon mal gestreuchelt!«

15.

Sternheims Lügengeschichte

Sternheim hatte sich sehr gefreut, als Frau Lichtblau gegen acht Uhr an der Wohnungstür geklingelt und ihm zur Begrüßung eine kleine Topfblume überreicht hatte.

Nun saß Sternheim mit Frau Lichtblau am festlich gedeckten Tisch. Vor sich hatten sie einen kleinen Teller mit der Vorspeise stehen.

Frau Lichtblau sagte: »Sie haben sich wirklich Mühe gegeben. Das ist eine Seltenheit: Männer, die so gut kochen können.«

»Ich habe nur die richtige Seite im Kochbuch gefunden«, antwortete Sternheim.

Frau Lichtblau hob ihr Glas und sagte: »Trinken wir also auf Ihr Kochbuch.«

Auch Sternheim hob sein Glas und die beiden stießen an.

Während Frau Lichtblau ihr Glas wieder abstellte, fragte sie: »Wo ist eigentlich Ihr Sohn?«

»Max?«, sagte Sternheim. »Ach, der wollte unbedingt ins Konzert.«

»Wie schön. Die Liebe zur Musik und zum Gesang hat er offensichtlich von Ihnen geerbt. Und wo ist Bello, ihr netter Hund?«

»Der ist mit im Konzert«, antwortete Sternheim, verbesserte sich aber schnell: »Ich meine, der bummelt so lange draußen ein wenig herum, vor dem Konzerthaus.«

In diesem Moment klingelte es.

»Wer kann das jetzt noch sein?«, fragte sich Sternheim. »Diese Frau Knapp wird ja wohl nicht so spät am Abend kommen!«

Er ging zur Tür und öffnete. Draußen standen Max und Herr Bello.

Sternheim war erstaunt und gleichzeitig ein bisschen verlegen. Er fragte: »Ist das Konzert denn schon aus?«

»Für uns schon«, sagte Max.

Er fasste Herrn Bello am Arm und wollte mit ihm ins Kinderzimmer gehen. Aber als Herr Bello durch die geöffnete Wohnzimmertür geblickt und drinnen Frau Lichtblau entdeckt hatte, machte er »Ohhhh!« und blieb stehen.

Dann rief er: »Herr Bello kennt die Frau!«, und ging einfach ins Wohnzimmer.

Frau Lichtblau schaute Herrn Bello überrascht an. Sie konnte ja nicht wissen, wer der fremde Mann war, der so selbstverständlich ins Zimmer kam und auch noch behauptete, sie zu kennen. Sie hatte ihn noch nie gesehen, da war sie sich sicher.

Herr Bello ging direkt auf sie zu, streckte die Hand weit von sich und sagte: »Gu-ten Tag, freut mich.«

»Guten Abend«, antwortete Frau Lichtblau, während sie ihm die Hand schüttelte.

Der fremde Mann sagte: »Düch mag ich! Du hast Herrn Bello schon mal gestreuchelt!«

Sternheim drängte sich zwischen Herrn Bello und Frau Lichtblau und sagte: »Darf ich vorstellen: Das ist … ist, wie gesagt, Herr Bello. Ein Verwandter … ein entfernter … ein Vetter dritten Grades, großväterlicherseits. Aus Südtirol. Er wohnt zurzeit bei uns.«

»Ah ja«, sagte Frau Lichtblau.

Sternheim drehte sich zu Herrn Bello um und sagte:»Du bist müde und willst schlafen gehen, ja?«

»Noin, noin, Herr Bello ist nicht müde«, behauptete Herr Bello.

Und weil Herr Bello dabei immer noch neben dem Tisch stand, kam es Frau Lichtblau doch ziemlich unhöflich vor, ihn so stehen zu lassen, und sie fragte:»Wollen Sie sich nicht zu uns setzen?«

Sternheim schüttelte zwar heftig den Kopf, aber Herr Bello setzte sich sofort neben Frau Lichtblau auf einen Stuhl und rief:»Max, kommst du auch zu Papa Sternheim?«

Max kam ins Zimmer und setzte sich Herrn Bello gegenüber an den Tisch.

»*Papa* Sternheim?«, wiederholte Frau Lichtblau belustigt.

»Ach, das sagt er, weil … weil Max das manchmal auch so sagt. Das findet er irgendwie komisch.«

»Ah ja«, sagte sie zögernd. Sie wandte sich an Herrn Bello:»Ich kann mich gar nicht erinnern, Sie mal gestreichelt zu haben. Wann soll das gewesen sein?«

»Nach der Schule. Mit Max zusammen«, sagte Herr Bello.

»Da hast du Herrn Bello am Kopf gestreuchelt.«

Frau Lichtblau sagte sichtlich irritiert:»Sie scheinen mich mit jemandem zu verwechseln.«

Sternheim sagte schnell:»Sie müssen entschuldigen, wenn er Sie einfach duzt. Ich sagte es ja schon: Er ist Südtiroler. Die duzen sich da alle. Oben die hohen Berge und unten die tiefen, engen Täler, da kommt man sich menschlich sehr nah ...«

»Ah ja«, sagte Frau Lichtblau, nun schon zum dritten Mal. »Ich verstehe.«

Herr Bello, der Frau Lichtblau die ganze Zeit verzückt angesehen hatte, rief jetzt:»Herr Bello hat was für düch! Herr Bello hat was sehr Gutes für düch. Herr Bello holt was, nur für düch!«

Damit rannte er aus dem Wohnzimmer.

Sternheim beugte sich zu Frau Lichtblau hinüber, guckte sich erst um, ob Herr Bello wirklich das Zimmer verlassen hatte, und sagte halblaut:»Er ist Ihnen wahrscheinlich ein wenig seltsam vorgekommen?«

»Allerdings«, flüsterte sie zurück.

»Sie müssen ihn entschuldigen«, sagte Sternheim.»Er hat ein schreckliches Schicksal zu tragen. Stellen Sie sich vor: Seine Eltern haben ihr Kind, also ihn, verstoßen. Er ist unter Hunden aufgewachsen. In einer Berghöhle. Mit zwanzig Jahren hat er zum ersten Mal einen Menschen gesehen. Man nennt ihn den ›Kaspar Hauser von Südtirol‹. Ist das nicht furchtbar?«

Max hörte seinem Vater fasziniert zu.

Als Max noch ein kleines Kind war, hatte Sternheim behauptet, bei jeder Lüge würde ein Engel im Himmel weinen. Im Moment musste da oben ein ohrenbetäubendes Geheule zu hören sein!

Max fragte:»Was ist ein Kaspar Hauser?«

»Das war ein Junge vor zweihundert Jahren, der in ein unterirdisches Gefängnis gesperrt worden war und erst ganz spät zu den Menschen kam«, erklärte Frau Lichtblau ihm. Zu

Sternheim sagte sie:»Wie furchtbar. Der arme Kerl! Jetzt verstehe ich alles. Ehrlich gesagt, ich dachte schon, er wäre etwas ... wie soll ich sagen?«

»Nein, nein, Herr Bello ist völlig normal«, versicherte Max.

»Ja, ja, völlig«, bestätigte auch Sternheim. »Wenn man von seinen hündischen Angewohnheiten absieht, ist er völlig normal. Aber auch das kann man nachvollziehen. Stellen Sie sich vor, Sie wären unter Hunden aufgewachsen!«

»Schrecklich. Ich würde vielleicht bellen statt zu sprechen«, sagte Frau Lichtblau.»Das ist ja wirklich sehr lieb von Ihnen, dass Sie sich so um ihn kümmern.«

»Man kann doch seine Verwandten nicht im Stich lassen«, entgegnete Sternheim bescheiden.

»Sie haben ein großes Herz«, sagte Frau Lichtblau.»Wirklich ein großes Herz.«

Herr Bello kam ins Zimmer zurück. Er hatte etwas hinter seinem Rücken versteckt und ging freudestrahlend auf Frau Lichtblau zu.»Ist für düch!«, sagte er, kniete sich vor sie hin und legte ihr einen großen Rinderknochen in den Schoß. »Das schenkt dir Herr Bello!«

»Wie nett. Danke!«, sagte sie und betrachtete angeekelt den Knochen. Er roch so, als hätte er schon mindestens drei Tage in der Erde geruht.»Das ist bestimmt das Schönste, was einer wie du zu verschenken hat. Das weiß ich wirklich zu schätzen.«

Sternheim fasste über den Tisch und nahm den Knochen weg.

»Lass mal, Herr Bello!«, sagte er.»Ich glaube, Frau Lichtblau ist schon satt, oder?«

»Ja, satt. Völlig satt«, stimmte Frau Lichtblau zu. Sie strich Herrn Bello übers Haar. »Wirklich rührend.«

Das hatte zur Folge, dass Herr Bello nun seinen Kopf in ihren Schoß legte, wie er es schon einmal getan hatte. Damals allerdings als Hund.

Sternheim sagte: »Bitte, Herr Bello, setz dich wieder auf deinen Platz!«

Damit hatte er aber das Schlüsselwort »Platz!« ausgesprochen, und Herr Bello lag nun neben Frau Lichtblau flach auf dem Boden.

»Setz dich bitte auf deinen ... deinen Stuhl!«, befahl Sternheim, ziemlich entnervt.

»Herr Bello lügt gern neben Frau von oben«, antwortete Herr Bello und blieb erst mal da liegen, wo er lag.

In diesem Augenblick klingelte zu allem Überfluss auch noch das Telefon.

Sternheim meldete sich, nachdem er endlich das tragbare Telefon in der Küche neben der Spüle gefunden hatte. Es roch ziemlich heftig nach Fisch. »Ja? Hier Sternheim!« Aus dem Hörer tönte die aufgeregte Stimme von Herrn Edgar.

»Hallo, Sternheim. Ich bin's, Herr Edgar. Stell dir vor: Die Tiere sind weg. Die Ställe sind leer, alle beide.«

»Was für Tiere?«

»Mein Hase und die Hühner. Einfach weg. Vielleicht gestohlen«, kam es aus dem Hörer.

»Das ist ja schlimm«, sagte Sternheim. »Aber da kann ich doch auch nichts machen, oder? Du willst doch nicht etwa, dass ich dir suchen helfe, jetzt am späten Abend?«

Während er telefonierte, guckte er hinüber ins Wohnzimmer. Dort zeigte Herr Bello inzwischen, wie gut er Brotstücke, die ihm Max und Frau Lichtblau zuwarfen, mit dem Mund auffangen konnte.

Sternheim schüttelte irritiert den Kopf.

»Herr Edgar, entschuldige, aber ich habe Gäste«, sagte er dann. »Herr Edgar, bist du noch dran? Herr Edgar!«

Sternheim merkte, dass er aus Versehen die andere Hand zum Ohr geführt hatte. In der hielt er immer noch den großen Knochen. So konnte ihn Herr Edgar natürlich nicht hören!

»Herr Edgar, bist du noch dran?«, fragte er noch einmal. Diesmal in den Telefonhörer.

»Sogar die Kleider meiner Mutter selig haben diese unverschämten Diebe aus dem Schrank geholt«, erzählte Herr Edgar gerade. »Ich muss ziemlich tief geschlafen haben. Ich hab nichts gehört.«

»Ah ja, nichts gehört«, wiederholte Sternheim. Er hätte das Gespräch nur zu gerne beendet, aber Herr Edgar erzählte immer weiter und weiter von seinen gestohlenen Tieren, sehr aufgeregt und sehr, sehr laut. Sternheim hielt den Hörer weit von sich und schaute dabei entnervt aus dem Küchenfenster. Unten sah er im Lichtschein einer Straßenlaterne eine merkwürdige Menschengruppe vorbeigehen. Voraus ging Herr Haas, der bleiche Verkäufer aus dem Gemüseladen, hinter ihm folgten die sechs Frauen, die Sternheim schon im Supermarkt aufgefallen waren. Sie schoben abwechselnd einen Einkaufswagen, der inzwischen bis zum Rand mit Eiern gefüllt war.

126

In Sternheim stieg ein böser Verdacht auf.
»Sag mal, Herr Edgar, hast du etwa das blaue Gras und die roten Körner an deine Tiere verfüttert?«, fragte er.
»Und deshalb kann ich mir das überhaupt nicht erklären ...!«, rief Herr Edgar gerade am anderen Ende der Leitung.
Sternheim wurde energisch. »Herr Edgar! Jetzt hör mir doch mal zu! Hast du ihnen das Gras von der Versuchswiese gegeben?«
»Was hat denn das Gras damit zu tun?«, fragte Herr Edgar.
»Hast du oder hast du nicht?«, schrie Sternheim.
»Natürlich hab ich. Dem Hasen und den Hühnern. Ich lass doch das Zeug nicht verkommen. Das waren mindestens zweieinhalb Kubikmeter Gras und siebenhundert Gramm Körner«, sagte Herr Edgar. »Ich hab sogar noch eine ganze Menge von dem Zeug übrig. Das kriegt dann morgen um sieben Uhr fünfzehn die Kuh. Jetzt, wo der Hase und die Hühner geklaut sind.«
»Herr Edgar, du darfst das ›Zeug‹ auf keinen Fall weiter verfüttern, hörst du!«, rief Sternheim in den Hörer. »Ich fahre sofort zu dir. Es ist ganz wichtig. – Nein, ich muss etwas mit dir besprechen, das kann ich hier am Telefon nicht sagen. Doch! Ich komme sofort. Auf der Stelle!«
Sternheim legte das Telefon weg und ging schnell ins Wohnzimmer zurück. Dort führte Herr Bello gerade vor, wie gut er ein Brötchen auf der Nase balancieren konnte.
Sternheim sagte: »Frau Lichtblau, es tut mir sehr Leid. Aber ich muss weg. Ein Notfall, gewissermaßen. Am Telefon. Ich muss auf der Stelle los.«

»Aber Papa! Doch nicht jetzt«, protestierte Max. »Es ist gerade so lustig.«

»Das, was ich besprechen muss, ist leider gar nicht lustig«, sagte Sternheim. »Ich muss weg. Frau Lichtblau, wir können unser gemeinsames Essen ja nachholen. Morgen. Oder nächste Woche. Wir ... ich ... ich stelle es in den Kühlschrank und morgen wärmen wir es auf.«

»Ja, dann werde ich jetzt wohl gehen«, sagte Frau Lichtblau und stand auf. Sie sah recht enttäuscht aus.

Max fragte: »Und ich?«

»Du legst dich bitte sofort ins Bett«, befahl Sternheim. »Und Herr Bello ebenfalls.« Leise fügte er hinzu: »Beziehungsweise auf seine Decke.«

Als Sternheim schon fast aus der Tür war, drehte er sich noch einmal um und sagte zu Frau Lichtblau: »Entschuldigen Sie. Es war wirklich ein schöner Abend. Ein sehr schöner Abend. Schade, dass er so plötzlich enden muss.«

Keine halbe Stunde später stand Sternheim schon in Herrn Edgars Wohnküche.

Herr Edgar saß im Schlafanzug auf der Eckbank und schüttelte immer wieder den Kopf, als Sternheim ihm von seinem Verdacht erzählt hatte.

»Wie? Mein Hase und die Hühner sollen plötzlich zu Menschen geworden sein?«, fragte Herr Edgar ungläubig.

»Sternheim, für mich als Mathematiker kommen drei Möglichkeiten in Betracht. Erstens: Du bist betrunken. Zweitens: Du entwickelst einen merkwürdigen Sinn für Humor. Drittens: Du solltest dich auf deinen Geisteszustand untersuchen lassen. Die dritte Möglichkeit hat am meisten Wahrscheinlichkeit. Bist du vielleicht in diese Frau verknallt und deshalb ein bisschen verwirrt? Du hast ja das neue Mitglied 39-Strich-Wei derart verliebt angestarrt, dass es sogar mir aufgefallen ist.«

»Herr Edgar, du musst mir glauben, auch wenn es sich ganz unwahrscheinlich anhört«, beschwor Sternheim Herrn Edgar. »Deine Tiere sind jetzt Menschen. Du musst etwas unternehmen!«

»Ich will davon nichts mehr hören«, sagte Herr Edgar barsch. »Du fährst jetzt nach Hause, legst dich ins Bett und schläfst erst mal eine Nacht darüber. Morgen sieht alles ganz anders aus.«

»Bitte, versprich mir wenigstens, dass du das Gras nicht auch noch an deine Kuh verfütterst!«, bat Sternheim.

»Meinetwegen«, sagte Herr Edgar. »Obwohl es eine enorme Grasverschwendung ist. Aber wenn es dich beruhigt!«

»Du glaubst mir also nicht«, sagte Sternheim. »Ich werde dir beweisen, dass ich Recht habe.«

»Und wie willst du das beweisen?«

»Indem ich dir deine Tiere zurückbringe«, sagte Sternheim.

»Meine Tiere?«, fragte Herr Edgar spöttisch. »Gerade hast du mir doch erzählt, sie seien Menschen wie du und ich.«

»Ich meine natürlich deine ehemaligen Tiere. Morgen wirst du dich nicht mehr über mich lustig machen. Wart's nur ab!«, rief Sternheim, schlug im Hinausgehen die Küchentür heftig hinter sich zu, setzte sich in seinen VW-Bus und fuhr durch die Nacht nach Hause.

16.

Gesucht und gefunden

Am Dienstagmorgen, kaum war Max zur Schule gegangen, hängte Sternheim innen an die Glastür der Apotheke ein Schild mit der Aufschrift »Vorübergehend geschlossen«.

Gerade als er dabei war, die Tür von außen abzuschließen, sagte jemand: »Typisch Sternheim! Macht den Laden einfach dicht, wann es ihm passt, und dann beschwert er sich, dass seine Apotheke schlecht läuft. Das Schild ist bestimmt bald vergilbt, weil es so oft in der Sonne hängt.«

Sternheim drehte sich um, hinter ihm stand Frau Lissenkow.

»Guten Morgen, Frau Lissenkow«, sagte Sternheim. »Sie haben ja Recht. Aber ich bin in einer sehr wichtigen Angelegenheit unterwegs.«

»Wichtige Angelegenheit?«, fragte Frau Lissenkow. Sie war so neugierig wie immer. »Erzählen Sie! Geht es um Max?«

»Nein, eher um Herrn Edgar«, antwortete Sternheim zögernd.

»Wieder mal Düngemittelprobleme!«, sagte Frau Lissenkow.

»Ja, so könnte man es nennen«, sagte Sternheim. »Was führt Sie eigentlich so früh in diese Gegend?«

»Langeweile«, sagte sie. »Um es gleich direkt zu sagen: Ich wollte Sie fragen, ob ich nicht wieder bei Ihnen zum Saubermachen kommen kann. Ich sitze den ganzen Tag zu Hause und das Fernsehprogramm wird auch immer schlechter.«

»Saubermachen? Aber nur zu gern«, sagte Sternheim. »Sie können sofort anfangen, wenn Sie wollen.«

»Lieber am Donnerstag, wie gewohnt«, sagte Frau Lissenkow. »Was ich Sie auch noch fragen wollte: Hat Max nun einen Hund bekommen oder nicht?«

»Ja, Max hat einen Hund«, sagte Sternheim mit einem leisen Seufzer. »Er ist inzwischen ziemlich stark gewachsen.«

»Max?«, fragte Frau Lissenkow.

»Nein, der Hund«, sagte Sternheim.

Als Frau Lissenkow endlich gegangen war, rannte Sternheim die Treppe zur Wohnung hoch und suchte nach Herrn Bello. Aber der war weder in der Küche noch im Kinderzimmer.

»Herr Bello?«, rief Sternheim. Als keine Antwort kam, noch einmal ganz laut: »Herr Bello, wo bist du?«

»Hür ist Herr Bello!« Die Stimme kam aus dem Treppenhaus, von oben.

Sternheim fand Herrn Bello im zweiten Stock, vor Frau Lichtblaus Wohnungstür. Dort saß er auf der Fußmatte.

»Was machst du denn hier oben?«, fragte Sternheim.

»Herr Bello rücht gern den Geruch von der Frau, die Herrn Bello gestreuchelt hat«, sagte er.

»Ja, Frau Lichtblau hat ein sehr angenehmes Parfüm«, bestätigte Sternheim. »Das ist mir gestern Abend auch aufgefallen. Aber jetzt Schluss damit! Wir gehen!«

»Gehen spazüren?«, fragte Herr Bello und stand auf.
»Zuerst besuchen wir einen Kollegen von dir, der kann
mir vielleicht weiterhelfen und sagen, wo ich die anderen
finde.«

»Kollegen?«, fragte Herr Bello. »Wer ist mein Kollegen?«
»Ein Hase, gewissermaßen«, sagte Sternheim. »Du kennst
ihn von früher.«

Herr Bello guckte Sternheim verwundert an. »Ein Hase
kann sagen, wo du andere findest?«

»Ich wollte sagen ›Herr Haas‹«, verbesserte sich Sternheim. »Er ist Verkäufer im Gemüseladen.«

Als sie beim Gemüseladen ankamen, war der bleiche Verkäufer nirgends zu sehen.

»Herr Haas?«, fragte der Gemüsehändler, als Sternheim
sich nach dem Verkäufer erkundigte. »Den habe ich rausge-
schmissen. Fristlos entlassen. Stellen Sie sich vor: Der hat
mir sämtliche Karotten aufgegessen.«

»Und wo ist er jetzt?«, fragte Sternheim.

»Keine Ahnung«, sagte der Gemüsehändler. »Was wollten
Sie von ihm?«

»Ich wollte ihn nach Hause holen, gewissermaßen«, antwortete Sternheim. »Vielen Dank für die Auskunft.«

Als sie aus dem Laden waren, sagte Sternheim: »Was machen wir jetzt nur? Wo finden wir ihn und die Frauen?« Dann
kam ihm eine Idee.

»Herr Bello, du hast doch eine gute Nase!«, sagte er.

»Nase?«, fragte Herr Bello erstaunt und schielte auf seine
Nase.

»Ich meinte, einen guten Geruchssinn. Wie ein Hund

eben«, sagte Sternheim. »Wenn du die Spur von einem Menschen riechst, kannst du dann erschnüffeln, wohin er gegangen ist?«

»Herr Bello kann gut schnüffeln«, bestätigte der.

Sternheim führte Herrn Bello zu der Stelle unter der Straßenlaterne, wo am Abend vorher Herr Haas und die Frauen mit der Eierfracht vorbeigegangen waren.

»Riechst du hier was?«, fragte er dort.

Herr Bello ließ sich auf alle viere nieder und schnupperte, die Nase dicht am Boden.

Ein Passant blieb stehen, als er Herrn Bello so sah, und fragte besorgt: »Strömt da Gas aus? Gasleitung undicht? Riechen Sie was? Ausströmendes Gas ist gefährlich, da muss man sofort die Stadtwerke informieren.«

»Nein, nein. Keine Gefahr«, sagte Sternheim schnell. »Der Herr untersucht nur den Zustand des Bodenbelags.«

»Ah, Bodenbelag. Ich verstehe«, sagte der Passant und ging weiter.

»Riechst du was?«, wiederholte Sternheim seine Frage, als der Mann außer Hörweite war.

»Herr Bello rücht ganz viel«, sagte er von unten. »Ganz viele Leute sind hier gegangen. Und ein Hund!« Er schnüffelte heftiger. »Eine Hundefrau!«

»Der Hund ist jetzt nicht wichtig«, sagte Sternheim. »Welche Menschen riechst du?«

»Vüle, vüle«, antwortete Herr Bello.

»Viele, viele. Ich verstehe«, sagte Sternheim enttäuscht. »Jedenfalls gibt es keinen speziellen Geruch.«

»Spöziell?«, fragte Herr Bello. Das Wort schien er nicht zu kennen.

»Ich meinte, einen besonderen Geruch, den man von anderen unterscheiden kann«, erklärte Sternheim ihm.

Herr Bello hielt die Nase noch dichter an das Pflaster des Bürgersteigs, schnüffelte und sagte dann: »Komischer Geruch! Ist von Mönsch, der Huhn dabeihat.« Er schnüffelte noch mal. »Oder Hase. Oder Huhn und Hase.«

»Huhn und Hase?«, rief Sternheim. »Das ist es! Das ist genau der Geruch, den wir suchen!«

»Wir suchen?«, fragte Herr Bello.

»Den ich suche«, verbesserte sich Sternheim. »Kannst du erschnüffeln, wohin die gegangen sind?«

»Wer ›die‹?«, fragte Herr Bello. »Herr Bello rücht nur Mönsch mit Huhn.«

»Jetzt kann ich es dir ja verraten«, sagte Sternheim. »Du riechst nicht einen Menschen mit Hasen, sondern einen Hasenmenschen oder Menschenhasen. Und Hühnerfrauen oder Frauenhühner oder wie man sie nennen will.«

»Was?«, fragte Herr Bello und stand auf. »Hasenmönsch?«

»Ja, Hasenmensch«, sagte Sternheim. »Auch der Hase und die Hühner von Herrn Edgar haben sich in Menschen verwandelt. Sie haben von dem Mittel gegessen, das du getrunken hast.«

»Auch Mönschen!«, staunte Herr Bello.

»Ja. Und jetzt will ich sie dahin zurückbringen, wo sie hingehören. Zu Herrn Edgar. Und du musst mir bitte dabei helfen.«

»Helfen, ja«, sagte Herr Bello und nickte. Er ließ sich noch einmal auf alle viere nieder, schnupperte und sagte dann: »Da sind sie hingegangen.« Dabei deutete er in die Richtung, aus der sie Sternheim am Abend vorher hatte kommen sehen.

»Nein, da sind sie hergekommen«, sagte Sternheim.

»Dann sünd sie da gegangen«, sagte Herr Bello und deutete in die Gegenrichtung.

Gemeinsam gingen sie nun die Straßen entlang. Bei jeder Kreuzung beugte sich Herr Bello dicht über den Boden, schnüffelte und befahl dann: »Geradeaus!« oder »Lünks!« oder »Rechts!«, je nachdem, wie Herrn Edgars Menschentiere gegangen waren.

So kam Sternheim schließlich mit Herrn Bello beim Stadtwald an.

Dort hätte Herr Bello fast die Spur der Ausreißer verloren. Es gab zu viele Hundefährten, denen er nachschnuppern musste und die ihn ablenkten.

Aber schließlich fanden sie die kleine Gruppe am Ufer eines Baches, der sich durch den Stadtwald schlängelte.

Die sechs Frauen häuften gerade aus Gras und kleinen Zweigen ein riesiges Nest auf, in dessen Mitte sie die gestohlenen Eier gelegt hatten. Herr Haas saß daneben und knabberte gelangweilt an einer Mohrrübe.

Die Frauen stritten sich. Es ging offenbar um die Frage, wer von ihnen sich auf die Eier setzen und sie ausbrüten dürfe.

»Nein, nein, Helma, du bist viel zu schwer. Ga-ga-ganz unmöglich!«, sagte die eine.

»Du bist noch viel schwerer!«, rief die Angesprochene. »Bei dir gä-gä-gehen die Eier doch ga-ga-ganz kaputt.«

»Hallo!« Sternheim machte auf sich aufmerksam. »Hallo! Ich bin Sternheim, ein Freund von eurem Herrn Edgar. Und das hier ist Herr Bello. Ich muss mit euch reden.«

»Dich kenn ich. Du hast gestern bei mir Möhrchen ge-

135

kauft«, sagte Herr Haas lispelnd. »Hast du welche mitgebracht?«

»Ich bin nicht gekommen, um Möhren zu bringen. Ich
will euch zurückbringen. Zurück zu Herrn Edgar«, sagte
Sternheim.

»Wir gä-gä-gehen aber nicht zurück«, sagte eine der Hühnerfrauen gackernd.

»Nein, nicht zurück«, stimmten die anderen mit ein. »Ga-ga-gar nicht zurück!«

»Wisst ihr, was passiert, wenn man euch hier findet?«, fragte Sternheim.

»Nein, wissen wir nicht«, sagten die Hühnerfrauen und beschäftigten sich weiter mit dem Nestbau. »Ist uns auch ga-ga-ganz ega-ga-gal.«

Sternheim sagte: »Ihr habt Eier gestohlen. Man sperrt euch ein.«

»Na und?«, sagte Herr Haas. »Ich war schon immer eingesperrt. Im Hasenstall.«

»Ich auch. Im Hühnerhaus. Ga-ga-ga-ganz lange«, sagte eine der Hühnerfrauen.

»Ich auch, ich auch ...!«, riefen die anderen.

Die jüngste der Hühnerfrauen, eine kleine, zierliche Person, an der das Kleid von Herrn Edgars Mutter lang und weit herumschlackerte, sagte weinerlich: »Mich hat man eingä-gä-gesperrt, seit ich aus dem Ei gä-gä-geschlüpft bin.«

Herr Bello hatte die ganze Zeit stumm und staunend dabeigestanden. Als er merkte, dass alle Überredungsversuche von Sternheim vergeblich waren, kam er ihm zu Hilfe.

»Und dass Herr Edgar bütterlich um euch weint, ist euch egal?«, fragte Herr Bello.

»Er weint?«, fragte eine der Hühnerfrauen.

»Herr Edga-ga-gar weint um uns?«, fragte eine andere.

»Richtige Tränen?«

»Armer Edga-ga-gar«, rief die kleine, zierliche Frau mitleidig.

»Weint er sehr?«, fragte Herr Haas bestürzt und hörte auf, an seiner Mohrrübe zu knabbern.

Sternheim begriff sofort, dass Herr Bello das Richtige gesagt hatte, und machte da weiter: »Mit Tränen in den Augen
ging er durch den verlassenen Hühnerstall, jede Einzelne
von euch hat er zärtlich gerufen ...«

»Auch mich?«, fragte die kleine Frau.

»Ja, auch dich«, bestätigte Sternheim.

»Oh, Edga-ga-ga-gar!«, rief sie.

Sternheim sah, dass ihr vor Rührung bereits die Tränen in
die Augen stiegen, und machte schnell weiter.

»Keine von euch hat er vergessen«, behauptete er. »Der
Kummer lässt ihn nicht schlafen, nicht einen Bissen hat er
gegessen.«

»Keinen Bissen!«, wiederholte eine der Frauen mit trä-
nenerstickter Stimme. »Und uns hat er jeden Tag zweimal
gä-gä-gefüttert. Armer Edga-ga-ga-gar.«

Herr Haas sagte, sichtlich gerührt: »So was! Unser Edgar!«

Sternheim nickte. »Ja, euer Herr Edgar! Einsam sitzt er am
Küchentisch, den Sack mit Hühnerfutter neben sich. Hühnerfutter, das er nun nie mehr brauchen wird. Hühnerfutter,
das er nun nie mehr seinen lieben Hennen servieren kann.«

»Ich gä-gä-ge-ge-geh nach Hause«, rief eine der Frauen.

»Ich auch, ich auch!«, riefen die anderen durcheinander.
»Nach Hause! Nach Hause zu Edga-ga-ga-gar.«

Sie umarmten sich schluchzend, kamen auf Sternheim zu,
umringten ihn und Herrn Bello und baten: »Bring uns nach
Hause! Bitte! Bring uns nach Hause!«

Herr Haas schloss sich ihnen an. »Ich geh auch zu Edgar
zurück«, sagte er. »Bring uns nach Hause!«

17.

Zwei wundern sich

An diesem Tag sollten sich Frau Lichtblau und Herr Edgar noch ziemlich wundern. Frau Lichtblau war gegen ihre Gewohnheit in der Mittagspause nach Hause gegangen. Sie hatte eigentlich vor, in Sternheims Apotheke irgendetwas Beliebiges zu kaufen, Vitaminpillen, eine Gesichtscreme oder eine Packung »Sternheims Original Fruchtgummis, farbenfroh und naturrein«. Der Kauf wäre sowieso nur ein Vorwand gewesen. Sie wollte Sternheim die Gelegenheit geben, sich für seinen gestrigen überstürzten Aufbruch zu entschuldigen und ihr vielleicht zu erklären, weshalb er so plötzlich verschwunden war. Aber ein Schild innen an der Glastür der Apotheke verkündete: »Vorübergehend geschlossen«.

Enttäuscht ging Frau Lichtblau hoch in ihre Wohnung im zweiten Stock.

Nach einer Weile hörte sie von unten laute Frauenstimmen. Neugierig blickte sie aus dem Fenster.

Da stand Sternheim inmitten von sechs aufgeregt durcheinander redenden Frauen. Eine junge Frau in einem viel zu großen, weiten Kleid umarmte ihn gerade weinend, er strich ihr tröstend übers Haar und bugsierte sie dann in seinen VW-Bus, wo schon ein auffallend bleicher Mann saß und neugierig durchs Seitenfenster blickte. Auch die anderen

Frauen stiegen nacheinander ein. Sternheim setzte sich ans Steuer.

Frau Lichtblau schüttelte verwundert den Kopf. »So was«, sagte sie. Das hätte sie Sternheim nun wirklich nicht zugetraut!

Der Wagen fuhr los. Sternheim winkte noch jemandem zu, dann bog das Auto auch schon um die nächste Ecke und war nicht mehr zu sehen.

Frau Lichtblau beugte sich aus dem Fenster und sah nun, wem er zugewinkt hatte. Sternheims merkwürdiger italienischer Verwandter lehnte an der Hauswand und winkte dem Auto nach.

»Das war also der Grund für Sternheims plötzlichen Aufbruch gestern Abend«, sagte sie sich enttäuscht und schloss das Fenster. »Sechs Frauen!«

Eine gute halbe Stunde später bog der VW-Bus in Herrn Edgars Hof ein und parkte diesmal ganz korrekt in einem der Rechtecke, die Herr Edgar auf den Boden gepinselt hatte.

Sternheim stieg aus und öffnete die Seitentür.

Als Herr Edgar aus dem Haus kam, stiegen gerade sechs Frauen und ein auffallend bleicher Mann aus. Die Frauen rannten gleich auf Herrn Edgar zu und umarmten ihn.

»Edga-ga-ga-gar! Armer Edga-ga-gar!« Und: »Hast du ga-ga-ganz arg weinen müssen?«, riefen sie. »Aber nun sind wir ja wieder bei dir!«

Sternheim sagte stolz: »Na, was sagst du? Hier habe ich sie dir alle wiedergebracht. Wie versprochen.«

Herr Edgar schob zwei Frauen beiseite und fragte: »Wen hast du gebracht?«

»Na, hier: deine Tiere!«, sagte Sternheim.

»Ja, ja, deine Tiere«, jubelten die Frauen. »Wir sind ga-ga-ganz schnell gä-gä-ge-gekommen zu unserm Edga-ga-gar!«

Herr Edgar wurde ziemlich laut. »Bist du verrückt geworden?«, schrie er Sternheim an. »Auf deine blöden Scherze kann ich wirklich verzichten.«

»Aber Herr Edgar, schau sie dir doch an! Das sind wirklich deine Tiere, jedenfalls deine ehemaligen«, sagte Sternheim.

»Ich hab den Schaden und du machst dich auch noch lustig«, sagte Herr Edgar grimmig.

Sternheim drehte sich um und ging zu seinem Wagen zurück.

»Ich habe mir so große Mühe gegeben, habe deine Tiere gesucht, gefunden und sie dir zurückgebracht. Und was macht der Herr Edgar? Er schreit mich an!«, sagte Sternheim ärgerlich. »Du könntest wirklich etwas mehr Dankbarkeit zeigen!«

»Dankbarkeit!«, höhnte Herr Edgar. »Soll ich vielleicht auch noch dankbar sein, wenn du eine Schar durchgedrehter Frauen in meinem Hof ablädst?«

»Dann bist du eben nicht dankbar. Auch gut«, sagte Sternheim. »Ich muss jetzt schleunigst zurück zu Max und zur Apotheke.« Er stieg in den Wagen ein und schloss die Tür.

Herr Edgar schrie: »Sternheim!«, und wollte sich vor den Wagen stellen, um Sternheim am Wegfahren zu hindern. Aber Herr Haas verstellte ihm den Weg, tippte Herrn Edgar mit dem Zeigefinger auf die Brust und lispelte: »Ich bleibe aber nur hier, wenn du mich nicht schlachtest.«

»Schlachtest?«, fragte Herr Edgar und starrte den bleichen Mann entgeistert an. »Sie meinen, ich will Sie schlachten?« Da fuhr Sternheim auch schon los.

Herr Edgar rannte dem Auto hinterher und schrie: »Sternheim! Du kannst mich doch nicht mit diesen Typen alleine lassen! Du nimmst die sofort wieder mit! Steeeernheim!!!«

Aber der VW-Bus war schon um eine Biegung verschwunden. Nur eine lang gezogene Staubwolke über einem Feldweg zeigte noch, wo der Wagen mit Höchstgeschwindigkeit entlanggerast war.

18.

Max gibt fachmännische Ratschläge

Als ich von der Schule kam, war Papa wieder mal nicht da.

Herr Bello machte die Tür auf und sagte: »Herr Bello soll Max sagen, dass Sternheim zu Herrn Edgar gefahren ist. Max soll süch selber ein Essen kochen. Sternheim hat leider koine Zeit mehr gehabt.«

»Na gut, dann machen wir uns jetzt ein schönes Mittagessen«, sagte ich.

Ich hatte schon einige Übung im Selberkochen, es war ja nicht das erste Mal. Im Grunde genommen ist es mir sogar lieber, wenn ich selber bestimmen kann, was ich essen will. Papa sorgt ja dafür, dass unser Tiefkühlfach immer voll ist, ich muss nur auswählen.

Ich holte uns eine Tiefkühlpizza aus dem Fach, belegte sie zusätzlich mit sechs Wiener Würstchen und vier Scheiben Schinken, schichtete noch einen kleinen Berg geriebenen Käse obenauf und schob die Pizza in die Mikrowelle.

Als sie fertig war, schüttete ich noch eine halbe Flasche Ketchup über die Pizza, zur Geschmacksverbesserung, dann

teilte ich sie. Eine Hälfte kam auf Herrn Bellos Teller, die andere auf meinen. Ich schnitt Herrn Bellos Portion in kleine Häppchen, dann fingen wir an zu essen. Herr Bello konnte inzwischen recht gut mit der Gabel umgehen, aber mit dem Messer hatte er noch Schwierigkeiten.

»Deine Gabeltechnik hat sich sehr verbessert«, lobte ich ihn.

»Danke«, sagte Herr Bello und war darüber so erfreut, dass er auf seinem Stuhl herumwackelte. Was zur Folge hatte, dass ihm ein Stück Wurst von der Gabel fiel und unter dem Tisch landete.

»Mist!«, schimpfte Herr Bello, hob die Wurst mit der Hand auf, schob sie sich in den Mund und wischte seine Finger am Hemd ab. Da die Wurst mit Ketschup beschmiert gewesen war, hatte Herrn Bellos Hemd nun ein interessantes rotes Muster.

»Deine Aussprache hat sich auch sehr gebessert«, sagte ich zu ihm. »Vorgestern hättest du noch ›Müst‹ gesagt.«

»Max ist lieb. Max ist mein Froind«, sagte Herr Bello. Er freute sich, dass er auch mal gelobt wurde. Papa war manchmal viel zu streng mit ihm, fand ich.

Als wir dann zusammen in meinem Zimmer auf dem Bett

saßen, druckste Herr Bello ein wenig herum und sagte schließlich: »Herr Bello will Max was fragen.«

»Ja?«

»Wie sagt man, wenn ein Mönsch eine Frau sehr gern mag?«, fragte er.

»Man sagt dann, er ist verliebt«, sagte ich.

»Herr Bello ist verlübt«, gestand er mir.

»In Frau Lichtblau! Stimmt's?«

»Ja, in Frau Lichtblau von da oben.«

»Das könnte ein Problem geben«, sagte ich. »Ich glaube nämlich, dass Papa auch ein bisschen in sie verliebt ist.«

»Sternheim ist verlübt?«, fragte Herr Bello. »Warum?«

»Warum bist *du* denn verliebt?«, fragte ich zurück.

»Sie hat mich gestreuchelt«, sagte er. »Deinen Papa hat sie nücht gestreuchelt.«

»Na ja, die Chancen stehen trotzdem eins zu eins«, sagte ich. »Ich mag Frau Lichtblau auch sehr gern. Sie ist wirklich nett. Nehmen wir mal an, dass sich Frau Lichtblau in dich verliebt. Meinst du, sie wohnt dann mit dir hier in unserer Wohnung?«

»Ja, wohnt in unserer Wohnung«, bestätigte Herr Bello. »Wenn sie sich in Papa verliebt, wohnt sie auch bei uns. Also ist es eigentlich egal, wen sie nimmt. Hauptsache, sie zieht zu uns«, überlegte ich. »Ehrlich gesagt: Mir wäre es lieber, wenn sie sich für Papa entscheidet. Aber es ist ja überhaupt nicht gesagt, dass sie sich in einen von euch beiden verliebt.«

Herr Bello dachte eine Weile stumm nach. Dann fragte er: »Was kann Herr Bello tun, dass die Frau Lichtblau sich in Herrn Bello verlübt?«

Ich sagte: »Soviel ich weiß, macht man Frauen Geschenke.«

»Geschenke?«, wiederholte Herr Bello und nickte. »Vielleicht noch mal einen Knochen?«

»Keinen Knochen. Knochen sind bei Frauen nicht besonders beliebt«, antwortete ich.

»Gestern über den Knochen hat sie sich gefreut«, sagte Herr Bello. »Sie hat gesagt: ›Ich weiß ihn zu schätzen.‹«

Ich sagte: »Trotzdem würde ich ihr nicht noch einen Knochen schenken. Sie hat ja jetzt schon einen.«

Herr Bello fragte: »Hast du schon mal einer Frau was geschönkt?«

»Einer Frau nicht, aber einem Mädchen aus meiner

Klasse. Sie heißt Isabel. Sie ist sehr nett. Ich hab ihr ein Comicheft geschenkt. Da hat sie sich gefreut. Aber Frauen machen sich nichts aus Comicheften. Besser, du schenkst ihr eine Tafel Schokolade. Oder Pralinen.«

»Hm«, machte Herr Bello. Meine Vorschläge hatten ihn wohl nicht überzeugt. »Vielloicht schenkt Herr Bello ihr ein Huhn.«

»Lieber Blumen!«, sagte ich. »Blumen kommen bei Frauen verdammt gut an.«

»Blumen«, wiederholte Herr Bello und nickte.

»Das Allerwichtigste hast du vergessen«, sagte ich. »Sie muss ja schließlich wissen, dass du in sie verliebt bist. Du musst es ihr sagen.«

Herr Bello kratzte sich ausführlich hinterm Ohr. »Herr Bello mag nicht sagen. Lieber ihr schroiben«, sagte er dann.

»Max schreibt für Herrn Bello, ja?«

»Du meinst, ich soll ihr einen Brief schreiben? Ich weiß nicht, ob ich das will«, sagte ich.

»Bitte, Max, bitte«, bat Herr Bello. »Herr Bello kann nicht schroiben und lesen.«

»Und was sagt Papa dazu?«, fragte ich. »Er fände es bestimmt nicht gut, wenn ich für dich Liebesbriefe schreibe.«

»Bitte, Max, bitte!«, bat Herr Bello noch einmal. »Max ist doch mein Froind!«

Bevor ich ihm antworten konnte, klingelte es an der Tür.

»Oh Gott! Das ist Frau Knapp!«, rief ich. »Und bei uns sieht's furchtbar aus. Das ganze Geschirr ist nicht abgespült. Alles voller Ketschup! Schnell, zieh dir wenigstens ein anderes Hemd an, deines ist doch verschmiert! Schnell, mach schnell!«

Aber den ganzen Wirbel hätten wir uns sparen können. Es war Papa, der von Herrn Edgar zurückkam.

»Du bist es, Papa«, sagte ich erleichtert. »Ich dachte schon, es wäre Frau Knapp.«

»Gut, dass du sie erwähnst. Bei all dieser Aufregung mit Herrn Edgar hätte ich fast vergessen, dass uns noch eine ganz entscheidende Wohnungsprüfung bevorsteht. So wie jetzt darf es hier dann allerdings nicht aussehen«, sagte Papa mit einem Blick auf unsere verschmierten Teller, die immer noch auf dem Küchentisch standen. »Dann ist das Kinderheim kaum noch abzuwenden. Das sind hier wirklich ›unhaltbare familiäre Zustände‹!«

»Ich hätte ganz bestimmt noch abgespült«, entschuldigte ich mich. »Ich hab mich nur noch ein bisschen mit Herrn Bello unterhalten.«

»Und was Herrn Bello anbelangt: Der kriegt jetzt endlich ein ordentliches Bett«, sagte Papa. »Was glaubst du, was diese Frau Klapp in ihren Bericht schreibt, wenn sie sieht, dass unser italienischer Verwandter auf dem Fußboden schlafen muss?«

»Herr Bello schläft görn auf dem Fußboden«, sagte Herr Bello.

»Gern oder nicht gern, darauf kommt es nicht an. Ab jetzt schläfst du auf einer Matratze wie ein Mensch.«

Papa ging in sein Schlafzimmer, holte eine der beiden Matratzen aus dem Doppelbett und trug sie in mein Zimmer.

»So«, sagte er zufrieden, als sie bezogen und mit einer Decke verhüllt an der Wand lag. »Sieht schon recht ordentlich aus. Jetzt kann Frau Klapp ruhig kommen.«

19.

Ein kleiner Brief mit großen Folgen

Am Montag nach der Schule schaute sich Robert Stein-heuer vorsichtig nach dem Hund Bello um.

»Was ist mit deinem Hund?«, fragte er Max. »Kommt er denn heute nicht und holt dich ab?«

»Nein«, antwortete Max. »Der wartet zu Hause auf mich.« Er konnte ja nicht gut sagen, dass aus Bello inzwischen ein Mensch geworden war.

Als Max am Dienstag zusammen mit Moritz Brandauer von der Schule nach Hause ging und wieder kein Hund zu sehen war, fühlte sich Robert schon so sicher, dass er Max im Vorbeirennen die Schultasche aus der Hand riss. Er war wohl immer noch wütend auf Max, weil der am Freitag mit-gekriegt hatte, wie Robert sich so vor dem Hund gefürchtet hatte, dass er schnell ins Haus hatte flüchten wollen.

Es nützte nichts, dass Max schrie: »Gib mir sofort meine Tasche wieder!«

Robert lachte nur und rief: »Hol sie dir doch, hol sie dir doch!«, und warf sie über einen Gartenzaun.

Moritz Brandauer schrie hinter Robert her: »Das sag ich morgen Frau Maier-Steinfeld!«

»Wenn ihr mich verpetzt, könnt ihr was erleben!«, schrie Robert zurück.

Und Max musste wohl oder übel über den Zaun in einen

fremden Garten klettern, um seine Schultasche wiederzu-
kriegen.

Er und Moritz gingen noch zusammen bis zur Sternheimschen Apotheke. Dort trennten sie sich. Max sagte:
»Verpetz ihn morgen lieber nicht bei der Maier-Steinfeld.
Was nützt es uns, wenn er eine Strafarbeit kriegt? Hinterher
ist er nur noch fieser zu uns.«

Moritz war zwar der Schwächste in der Klasse, aber bestimmt nicht der Ängstlichste. Jedenfalls erzählte er am
Mittwoch Frau Maier-Steinfeld, dass Robert die Schultasche
von Max über den Zaun geworfen hatte, und Robert bekam
einen Eintrag ins Klassenbuch.

Nach der Schule lauerte Robert den beiden auf, stürzte
sich auf Moritz und drehte ihm den Arm nach hinten.

»Auf die Knie!«, befahl er.

»Au!«, schrie Moritz. »Das tut weh!«

»Das soll es auch«, sagte Robert.

»Lass Moritz sofort los!«, rief Max.

»Ich hab ihn gewarnt«, sagte Robert. »Der kniet sich jetzt
vor mich hin und sagt: ›Robert, ich will dich nie mehr ver-
petzen.‹«

Max ging auf Robert los und versuchte ihn von Moritz
wegzuzerren.

Das hatte zur Folge, dass Robert den Arm von Moritz los-
ließ. Er packte Max, stieß ihn zu Boden und wollte sich schon
rittlings auf ihn setzen, als er plötzlich von starken Händen
zurückgerissen, am Kragen gepackt und einen halben Meter hochgehoben wurde.

Da zappelte er nun, Auge in Auge mit einem fremden
Mann.

»Wenn du Max noch oinmal was tust, kriegst du es mit Herrn Bello zu tun!«, sagte der Mann drohend. »Dann beißt dir Herr Bello in den Hüntern, dass du droi Tage nicht mehr sitzen kannst!«

Es war niemand anders als Herr Bello, der Max von der Schule abholen wollte.

»Hast du verstanden?«, fragte der Mann.

Robert nickte. Der Schreck hatte ihm wohl die Sprache geraubt.

»Hast du Herrn Bello verstanden?«, wiederholte der Mann.

»Ja«, wimmerte Robert. »Ich mach's nicht wieder. Bestimmt nicht!«

»Dann verschwünde! Aber schnöll! Aber ganz schnöll!«, sagte Herr Bello und stellte Robert wieder auf die Füße.

Robert ließ sich das nicht zweimal sagen, raste los und legte die nächsten hundert Meter derart schnell zurück, dass ihm Herr Drommel, der Sportlehrer, für diese Leistung bestimmt das goldene Sportabzeichen verliehen hätte.

»Danke, Herr Bello«, sagte Max.

Moritz stand staunend daneben und fragte Max leise: »Wer ist denn der Mann?«

»Er wohnt bei uns«, antwortete Max. »Und er ist mein Freund!«

Zu Hause sagte Max zu Herrn Bello: »Eigentlich wollte ich ja den Brief nicht für dich schreiben. Wegen Papa. Aber weil du mir geholfen hast, helfe ich dir auch. Ich schreib deinen Brief.«

So saßen Max und Herr Bello nach dem Essen am Küchentisch und entwarfen einen Brief an Frau Lichtblau, während Sternheim unten in der Apotheke war.

Auf dem Schreibblock von Max gab es schon mindestens vier durchgestrichene Entwürfe.

»Gar nicht einfach, so ein Brief«, sagte Max und kaute an seinem Kugelschreiber. Der hatte von Max' Zähnen schon eine tiefe Kerbe. »Er muss Frau Lichtblau ja überzeugen.«

»Überzeugen, ja.« Herr Bello nickte eifrig. »Schreib vielleicht: Liebe Frau Lichtblau, ich bin in düch verliebt, wie ich es erst einmal in meinem Leben war.«

»Du warst schon mal verliebt?«, fragte Max.

»Ja, in ein Colliehund-Weibchen. Ein sehr schönes Mädchen«, schwärmte Herr Bello. »Hatte so schöne lange Haare und oine sooo hübsche Rute!«

»Ach, damals, als du noch ein Hund warst«, sagte Max. »Und was ist aus dieser Liebe geworden?«

»Gar nüchts«, antwortete Herr Bello traurig. »Das doofe Herrchen von ihr hat mich immer verjagt. Stoine hat er nach mir geworfen!«

»Ich verstehe«, sagte Max. »Ich glaube aber, Frauen finden es nicht gut, wenn man ihnen schreibt, dass man vorher schon mal eine andere geliebt hat.«

»Finden Frauen nücht gut«, sagte Herr Bello. Er überlegte weiter. »Dann schroib einfach: Frau Lichtblau, dein Herr Bello lübt dich.«

»Ich weiß nicht, ich weiß nicht«, antwortete Max und schüttelte den Kopf. »Das ist viel zu direkt. Sie ahnt ja nicht mal, dass sie hier unten einen unbekannten Verehrer hat. Und dann gleich ›dein Herr Bello liebt dich‹. Nein, das geht nicht.«

»Unbekannter Veröhrer ist gut!«, lobte Herr Bello. »Schreib einfach: Ich lübe dich. Dein unbekannter Veröhrer!«

»Immer noch zu direkt«, sagte Max. »Am besten, du bittest sie um ein Rendez-vous und sagst ihr dann alles.«

»Randewuh?«, fragte Herr Bello.

»Um ein Treffen eben. Pass mal auf, wie wär's damit: Liebe Frau Lichtblau, ich finde es schade, dass unser Gespräch ...« Hier machte Max eine Pause, überlegte und kaute an seinem Kugelschreiber. »Schreibt man Gespräch mit ä oder e?«, fragte er sich.

»Wie? Was?«, fragte Herr Bello.

»Ich meine, ob man ›Gesprech‹ oder ›Gespräch‹ sagt«, erklärte Max ihm.

»Man sagt Gespröch.«

»Danke für diesen hervorragenden Ratschlag«, sagte Max. »Ich werde den Brief auf Papas Computer schreiben. Da sind alle Fehler rot unterringelt. Außerdem erkennt sie dann meine Schrift nicht.«

So bekam Frau Lichtblau folgenden Brief:

»Liebe Frau Lichtblau. Schade, dass unser Gespräch so schnell vorbei war. Ich würde Sie sehr gern wiedersehen. Ihr Verehrer aus dem ersten Stock.«

Den Brief hatte der Verehrer aus dem ersten Stock durch den Briefkastenschlitz in ihren Flur geworfen.

Nachdem Frau Lichtblau den Brief gelesen hatte, nahm sie gleich Papier und Stift, setzte sich an den Tisch und entwarf ihren Antwortbrief.

»Lieber Herr Sternheim ...« Sie schüttelte den Kopf und

strich die Überschrift wieder durch. »Lieber Sternheim ...
nein, das klingt irgendwie seltsam. Ich schreibe einfach: Lieber Verehrer aus dem ersten Stock. Genau!«

Keine Stunde später entdeckte Max den Antwortbrief im Hausbriefkasten, nahm ihn mit nach oben in die Wohnung, setzte sich mit Herrn Bello auf dessen Bett und las ihm die Antwort vor:

»Lieber Verehrer aus dem ersten Stock. Auch ich würde unser unterbrochenes Gespräch gerne fortsetzen. Am besten in einer etwas weniger gestörten Atmosphäre. Treffen wir uns heute um 19 Uhr im Restaurant Venezia? Ihre Verena Lichtblau.«

»Sie will mich tröffen, Sie will Herrn Bello tröffen!«, rief Herr Bello, außer sich vor Freude. »Gehn wir nach Venezia?«

»Erstens gehen nicht wir, du gehst natürlich alleine hin. Außerdem trefft ihr euch erst um sieben. Du hast noch eine Stunde Zeit.«

»Oine Stunde Zeit. Alloine hin«, wiederholte Herr Bello und nickte. Er stand vom Bett auf. »Herr Bello geht jetzt ins Bad. Herr Bello macht sich schön.«

»Keine ganz schlechte Idee! Wie willst du dich denn schön machen?«, fragte Max.

»Na, Hände waschen«, antwortete Herr Bello. »Mit Seife und Schaummm.«

»Das genügt nicht. Ich komme mit, wir machen dich so schön, dass sich jede Frau nach dir umdreht.«

»Umdröht?«, fragte Herr Bello.

»So sagt man eben. Komm mit ins Bad!«

Eine Viertelstunde später kam Herr Bello laut singend aus dem Badezimmer. Max hatte ihm die störrischen Haare mit Hilfe von viel Haargel eng an den Kopf gekämmt. Und wie man sogar aus großer Entfernung riechen konnte, war Herr Bello mit Sternheims Rasierwasser nicht gerade sparsam umgegangen.

Nun stand er vor dem Spiegel im Flur, betrachtete sich zufrieden und sang dabei fröhlich: »Ihre Ver-öhöhö-re-rin aus dem zweiten Sto-hock, aus dem zweiten Sto-hock!«

Max kramte hinten im Küchenschrank und brachte eine Schachtel Pralinen zum Vorschein.

»Hier, Pralinen!«, sagte er und drückte Herrn Bello die Schachtel in die Hand. »Pralinen kommen bei Frauen immer gut an. Die Schachtel hat Papa zu seinem letzten Geburtstag geschenkt gekriegt und im Schrank vergessen. Ich hab schon ein paar Pralinen davon genascht. Aber höchstens drei oder vier. Die meisten sind noch drin.«

Herr Bello öffnete die Schachtel. »Die moisten sünd noch drin«, bestätigte er. Dann betrachtete er sich noch einmal im Flurspiegel und sang dabei weiter vor sich hin.

Max sagte zu ihm: »Hör mal auf zu singen und hör mir zu. Wenn man in ein Restaurant geht, muss man hinterher zahlen. Da brauchst du Geld.«

»Geld«, sagte Herr Bello. »Und wo gübt's Geld?«

»Hier«, sagte Max und steckte Herrn Bello einen Zwanzig-Euro-Schein in die Jackentasche. »Das ist aus der Haushaltskasse. Papa muss das ja nicht wissen.«

»Aus der Haus-halts-kahas-se«, fing Herr Bello gleich an zu singen.

Max sagte: »Hör auf, das zu singen! Und jetzt geh los! Viel Glück!«

Herr Bello schaffte es ungefähr dreihundert Meter weit ohne Gesang. Dann konnte er nicht mehr an sich halten und fing wieder an, laut und fröhlich zu singen: »Aus der Haus-halts-kahas-se, aus der Haus-halts-kahas-se, der Haus-halts-kaha-hasse ...«

20.

Schlimme Nachrichten

Während Herr Bello fröhlich singend auf dem Weg zum Restaurant Venezia war, schloss Sternheim die Apotheke ab und wollte gerade nach oben in die Wohnung gehen, als das Telefon klingelte. Herr Edgar war am Apparat.

»So, nun kann ich dir wissenschaftlich exakt beweisen, dass du spinnst«, sagte er, als Sternheim sich gemeldet hatte.

»Was soll das heißen?«, fragte Sternheim.

»Ich war eine halbe Stunde spazieren, auf der Flucht vor diesen Wahnsinnigen mit ihrem ständigen Edga-ga-ga-gar! Erfreulicherweise waren sie weggegangen, als ich wiederkam.«

»Weggegangen? Wohin?«, fragte Sternheim

»Keine Ahnung. Ist mir auch egal. Hauptsache, sie sind weg«, sagte Herr Edgar. »Aber das wollte ich dir gar nicht erzählen. Stell dir vor, als ich wiederkomme, sind alle meine Tiere wieder da. Der Hase und alle Hühner. Das beweist doch, dass du einen Knall hast! Du mit deiner merkwürdigen Theorie.«

»Sie sind alle wieder da?«, fragte Sternheim. »Dann lässt die Wirkung der Mixtur also nach einiger Zeit nach. Und sie sind alle wieder in tierischer Gestalt?«

»Selbstverständlich sind meine Tiere in tierischer Gestalt,

du Komiker«, tönte Herrn Edgars laute Stimme aus dem Hörer. »Sie benehmen sich nur etwas seltsam.«

»Seltsam? Was heißt das?«, fragte Sternheim.

»Na ja, sie wollen überhaupt nicht aus der Küche raus und folgen mir auf Schritt und Tritt. Gerade sitzen sie hier auf der Eckbank und schunkeln.«

»Schunkeln?«, fragte Sternheim.

»Ja, sie schunkeln. Und zwar höchst unpassend, wie ich finde. Zum Türkischen Marsch von Mozart, wenn du es genau wissen willst. Wir hören gerade den Klassiksender im Radio.«

»Natürlich benehmen sie sich seltsam«, sagte Sternheim. »Immerhin waren sie in Menschen verwandelt, das färbt ab. Da bleibt viel Menschliches übrig, nehme ich an. Weißt du, was das für mich bedeutet?«

»Dass du völlig verrückt bist«, sagte Herr Edgar.

»Nein, dass Herr Bello auch wieder zum Hund wird!«, rief Sternheim. »Ich muss Schluss machen. Ich muss nach oben!«

Herr Edgar rief ins Telefon: »Sternheim, du hast keinen Hund. Du hast einen Vogel! Lass dir von einem vernünftig und logisch denkenden Menschen sagen: Tiere können nicht zu Menschen werden und Menschen nie und nimmer zu Tieren! Niemals! Begreif das endlich!«

Aber das hörte Sternheim schon nicht mehr, er hatte den Hörer aufgelegt.

»Herr Bello!«, rief Sternheim, als er oben in die Wohnung stürmte. Dann noch lauter: »Herr Bello!«, schließlich, ahnungsvoll: »Bello?«

Max kam aus seinem Zimmer. »Was ist los?«, fragte er.

»Max, wo ist Herr Bello? Ist er nicht in der Wohnung?«, fragte Sternheim aufgeregt.

Max wurde ein bisschen verlegen. »Herr Bello ist nicht da.«

Sternheim rief: »Wo ist er hin?«

»Er … also, er ist in ein Lokal …«

Nun wurde Sternheim richtig laut: »In welches? Max!!! In welches Lokal!?«

»Ins Venezia«, sagte Max.

»Ins Venezia«, wiederholte Sternheim, fragte auch gar nicht nach, was Herr Bello wohl dort zu suchen hatte, drehte sich um und rannte die Treppen hinunter, nach draußen.

21.

Die Verwandlung

Herr Bello ging singend die Straße entlang. Einige Passanten drehten sich neugierig nach dem fröhlichen Mann um, der eine Pralinenschachtel hoch über seinem Kopf schwenkte und dabei lautstark sang: »Pra-li-hi-nen, das lüben Frau-hau-en, das lüben Frau-hau-en!«

Plötzlich veränderte sich Herrn Bellos Stimme. Sie wurde viel rauer. Er versuchte trotzdem weiterzusingen, brachte aber nur ein »Frau-au-au-au« heraus, das schließlich in ein »Wau, wau, wau« überging. Es klang wie Hundegebell.

Nun schien ihn auch die Jacke zu stören. Er schüttelte und wand sich, schlüpfte aus der Jacke und warf sie einfach hinter sich auf den Bürgersteig. Kurz darauf landete auch sein Hemd auf der Straße.

Auf Herrn Bellos Armen, den Händen und sogar in seinem Gesicht begannen lange, dichte dunkle Haare zu sprießen. Sein Mund schob sich nach vorne, wurde zur Schnauze. Während er weiterging, beugte er sich tiefer und tiefer und ließ sich schließlich auf alle viere nieder. Dabei störte die Hose. Er strampelte sich aus ihr heraus. Dann tappte er weiter, aufs Restaurant Venezia zu.

Frau Lichtblau war überpünktlich ins Lokal gekommen. Als sie zum wiederholten Mal auf die Uhr über der Theke

161

schaute, war es immer noch nicht sieben. Sie wollte gerade ein zweites Glas Prosecco bestellen, da wurde die Lokaltür von außen aufgestoßen. Ein großer, struppiger Hund kam herein, eine Schachtel Pralinen im Maul. Er ging direkt zu ihrem Tisch, legte die Pralinen vor sie hin und sah sie erwartungsvoll an. Jetzt erkannte sie den Hund.

»Das ist ja Bello, der Hund von den Sternheims«, sagte sie und streichelte ihn. Der Hund legte seinen Kopf in ihren Schoß.

»Wo bist du die ganze Zeit gewesen?«, fragte sie. »Vorgestern Abend warst du gar nicht da.« Sie strich dem Hund über den Kopf. Er gab kleine zufriedene Laute von sich.

»Und du hast mir Pralinen von deinem Herrchen mitgebracht. Was für eine originelle Idee von Sternheim. Schickt seinen Hund mit Pralinen voraus! So ein nettes Herrchen hast du!«

Der Hund schüttelte energisch den Kopf. Frau Lichtblau beachtete es nicht und schwärmte weiter. »Dein Herrchen ist sowieso der netteste Mann, den ich in letzter Zeit kennen gelernt habe. Und auch noch musikalisch. Dir kann ich's ja anvertrauen, du wirst es, bitte schön, nicht weitersagen.« Sie lachte leise. »Weißt du, ich bin in dein Herrchen richtig verliebt.«

Bello hob den Kopf von ihrem Schoß und begann jämmerlich zu heulen und zu jaulen. Die anderen Gäste schauten missbilligend zu Frau Lichtblaus Tisch hin.

»Bello, was hast du denn plötzlich?«, fragte Frau Lichtblau. »Ruhig! Böser Hund! Sei doch still! Mach ›Platz‹! Hörst du: Platz!«

Der Hund legte sich auf ihren Befehl hin zwar flach auf

den Boden, war aber kein bisschen still dabei. Im Gegenteil, er heulte noch viel erbärmlicher.

Der Wirt hinter dem Tresen sagte etwas zu einem der Kellner und deutete zum Tisch von Frau Lichtblau. Der Kellner kam zu ihr und sagte: »Entschuldigen Sie. Aber Ihr Hund stört die anderen Gäste. Entweder er hört auf, so laut herumzuheulen, oder ich muss Sie bitten, den Hund draußen vor dem Haus anzubinden.«

»Es tut mir Leid«, sagte sie. »Ich weiß nicht, was der Hund plötzlich hat. Ich vermute, er hat Sehnsucht nach seinem Herrchen. Aber der wird gleich ... Ah, da ist er ja schon!«

Sternheim betrat gerade das Lokal und blickte sich suchend um.

»Hier bin ich«, rief Frau Lichtblau und winkte ihm zu.

»Ah, der Herr Apotheker! Guten Abend«, begrüßte ihn der Kellner. »Ihr Hund weint schon nach Ihnen. Nehmen Sie Platz, Sie werden erwartet.«

»*Sie* sind hier?«, fragte Sternheim verblüfft, als er Frau Lichtblau sah, und setzte sich zögernd. Bello knurrte ihn wütend an.

»Was soll die Frage?« Frau Lichtblau schaute verwirrt. »Wir hatten eine Verabredung!«

»Wer?«, fragte Sternheim.

»Soll das ein Scherz sein? Wir hatten uns schriftlich verabredet: um sieben im Restaurant Venezia. Weshalb sind Sie denn sonst hier?«

»Langsam verstehe ich«, sagte Sternheim und schaute zu Bello hinunter. Der Hund knurrte böse. »*Er* hatte sich mit Ihnen verabredet!«

Bello knurrte noch lauter.

»Wer?«, fragte Frau Lichtblau.

»Na, er!«, versuchte Sternheim zu erklären und deutete auf den Hund.

»Sternheim, ich pflege mich nicht mit Hunden zu verabreden. Selbst wenn ich es täte, dann bestimmt nicht schriftlich«, sagte Frau Lichtblau. »Und ich bitte doch sehr, dass Sie jetzt mit diesen merkwürdigen Scherzen aufhören.«

»Es ist ja auch schwierig zu verstehen. Diese Verwandlung muss Ihnen wirklich sehr merkwürdig vorkommen«, gab Sternheim zu. Er beugte sich hinunter und blickte unter den Tisch. »War er denn schon ein Hund, als er hereinkam? Oder liegt da irgendwo mein Anzug?«

Frau Lichtblau starrte Sternheim nur stumm an.

»Bello, würdest du bitte mit dem doofen Geknurre aufhören«, sagte Sternheim. »Was kann ich dafür, wenn du dich verliebst?«

»Sternheim, entweder Sie erklären mir jetzt, was Sie hier für ein seltsames Spiel spielen«, sagte Frau Lichtblau. »Oder ich verlasse auf der Stelle das Lokal.«

»Frau Lichtblau, diesmal werde ich Ihnen die Wahrheit sagen«, versprach Sternheim.

»Diesmal?«, fragte sie. »Und wann haben Sie mich belogen?«

»Herr Bello kommt gar nicht aus Südtirol«, fing Sternheim an.

»Nicht? Woher kam er denn dann?«, fragte sie.

»Ich werde Ihnen jetzt alles erklären. Denn, offen gestanden: Sie bedeuten mir sehr viel!«, sagte Sternheim.

Dieses Geständnis schien Frau Lichtblau ein wenig zu versöhnen.

»Ich bin gespannt«, sagte sie.

»Aber ich bitte Sie sehr, es niemandem weiterzusagen. Sonst bin ich meine Lizenz als Apotheker los.« Sternheim guckte sich im Lokal um, ob auch niemand mithörte, winkte Frau Lichtblau ganz nah zu sich heran, beugte sich zu ihr hinüber, deutete auf den Hund und flüsterte ihr ins Ohr: »Das ist Herr Bello!«

Frau Lichtblau fuhr zurück und schaute Sternheim wütend an.

Er spürte, dass sie ihm kein Wort glaubte, deshalb setzte er ganz schnell hinzu: »Sie müssen mir glauben: Dieser Hund war vor einer Stunde noch ein Mensch! Er hat von einem blauen Saft getrunken und dann ist es passiert.«

»Wollen Sie mir etwa weismachen, dass ihn dieser blaue

Saft zum Hund gemacht hat?«, fragte sie und blickte Sternheim misstrauisch an.

»Nein, zum Menschen, zum Menschen!« Sternheim war ziemlich laut geworden. Er blickte sich erschrocken um, aber außer Frau Lichtblau hörte ihm niemand zu. Leise fuhr er fort: »Den Saft hat mir eine unbekannte alte Frau gebracht. Er ist noch von meinem Großvater. Der hat ihn erfunden. Und, ehrlich gesagt, ich habe inzwischen den Verdacht, dass auch die alte Frau einmal ein Hund war!«

»Ein Hund?!«, rief Frau Lichtblau.

»Psst!«, machte Sternheim und beugte sich noch näher zu ihr. »Eine Hündin«, verbesserte er sich.

Das war zu viel für Frau Lichtblau. »Sternheim, es gibt zwei Möglichkeiten. Und beide sind gleich schlimm«, sagte sie. »Entweder Sie sind verrückt oder Sie machen sich auf eine fiese, gemeine Weise über mich lustig. Ich gehe! Und ich will Sie nie mehr sehen!«

Während ihr schon die Tränen in die Augen schossen, stieß sie heftig ihren Stuhl zurück, stand auf und ging zum Ausgang.

»Ich habe wirklich nur Pech mit Männern«, sagte sie im Weggehen. »Immer verliebe ich mich in die falschen!«

»Frau Lichtblau!«, rief Sternheim ihr nach. Da war sie schon aus dem Lokal und knallte die Tür hinter sich zu.

»Und du hör auf, auch noch zu knurren!«, schrie Sternheim den Hund an.

Der Wirt hatte die Auseinandersetzung von seinem Platz hinter der Theke aus beobachtet, kam mit einer Flasche in der Hand zu Sternheim und sagte: »Herr Apotheker, nehmen Sie's nicht zu tragisch. So ein Streit ist schnell vergessen!«

»Dieser Streit nicht. Sie will mich nie mehr sehen, hat sie gesagt«, antwortete Sternheim.

»Hier, trinken Sie erst mal«, sagte der Wirt und schenkte Sternheim ein Glas aus der Flasche ein.

»Ich trinke eigentlich nie Alkohol«, sagte Sternheim.

»Ach was«, sagte der Wirt. »Das ist Averna. Averna ist Kräuterlikör. Kräuterlikör ist gut für den Magen und ein guter Magen macht gute Laune.«

»Na, dann Prost!«, antwortete Sternheim, hob sein Glas und trank es in einem Zug leer.

22.

Ein einseitiges Gespräch unter Männern

Als Sternheim das Restaurant verließ, war es schon dunkel geworden.

Er schwankte ein bisschen. Es war nicht bei dem einen Glas geblieben. Aber der Likör hatte seinen Kummer nicht ertränken können. Er hatte Sternheim lediglich betrunken gemacht.

Sternheim ging die Straße entlang, die halb geleerte Flasche in der Faust, nahm ab und zu einen Schluck und schimpfte auf die andere Straßenseite hinüber. Dort ging nämlich der Hund.

»Dass du mich angeknurrt hast, will ich dir noch mal verzeihen!«, rief Sternheim. »Aber dass du im Hinausgehen versucht hast, mich ins Bein zu beißen, und dabei meine Hose zerrissen hast, das ging zu weit! Eindeutig zu weit! Was kann ich denn dafür, wenn sie dich nicht liebt?«

Bello knurrte ihn von der anderen Straßenseite aus an.

Sternheim stolperte über etwas Weiches, erkannte, dass es die Anzughose war, die Herr Bello während seiner Verwandlung abgestreift hatte, und hob sie auf. Kurz darauf fand er auch die Jacke und das Hemd.

»Und meine Kleider hast du einfach auf den Bürgersteig geschmissen! Findest du das etwa gut?«, rief er zu Bello hinüber.

In der Ferne begann ein Hund zu bellen, ein anderer bellte zurück.

»Aha, und jetzt kommt bestimmt wieder die alte Bello-Nummer«, sagte Sternheim. »Die Hunde bellen, und Bello ist nicht mehr zu halten, haut ab und kommt am nächsten Morgen reumütig zurück.«

Aber Bello trottete mit gesenktem Kopf auf der anderen Straßenseite weiter, er war so niedergeschlagen, dass ihn sogar die Rufe seiner Hundefreunde nicht locken konnten. Er bellte nicht einmal zurück.

Gemeinsam kamen Sternheim und der Hund bei der Apotheke an.

Sternheim wollte aufschließen und hinauf in die Wohnung gehen, aber Bello blieb vor dem Haus stehen und schaute sehnsüchtig nach oben. Im zweiten Stock war noch ein Fenster hell erleuchtet, in Frau Lichtblaus Wohnzimmer brannte Licht.

Bello legte den Kopf in den Nacken und heulte.

Sternheim stellte sich neben Bello, blickte auch nach oben und rief erst leise, dann immer lauter: »Frau Lichtblau! Bitte, Frau Lichtblau!«

Als Antwort ging oben das Licht aus. Nun war das ganze Haus dunkel.

Als Sternheim mit Bello in die Wohnung kam, warf er die Kleider, die er auf der Straße aufgesammelt hatte, achtlos in den Flur. Dann ging er zum Kinderzimmer. Max lag angezogen auf seinem Bett und schlief, ein aufgeschlagenes Buch neben sich.

Wahrscheinlich hatte er den ganzen langen Abend auf

seinen Vater und Herrn Bello gewartet, hatte sich aufs Bett gelegt, hatte gelesen und war schließlich eingeschlafen. Sternheim stellte die Likörflasche ab und deckte Max vorsichtig zu ohne ihn zu wecken.

»Du wirst morgen ganz schön staunen, wenn du entdeckst, dass aus Herrn Bello wieder dein Hund geworden ist«, murmelte er dabei.

Danach nahm er die Flasche vom Boden auf, löschte das Licht im Kinderzimmer und suchte nach Bello.

Er fand den Hund in seinem Schlafzimmer. Bello hatte sich voller Wut über Sternheims Kleider hergemacht. Ein Hemd hatte er völlig zerfetzt, gerade hatte er sich in Sternheims bester Hose verbissen.

»Bist du verrückt geworden!«, schrie Sternheim und zerrte an der Hose. Da Bello nicht loslassen wollte, bekam sie einen langen Riss.

Das machte Sternheim so wütend, dass er Bello packte, auf den Rücken warf und ihn mit beiden Händen niederhielt. Vor Anstrengung keuchend, sagte er:»Hör endlich auf, deine Wut an mir auszulassen! Was kann ich denn dafür, dass sie sich in mich verliebt hatte? Es ist doch sowieso alles aus. Du hast es doch gehört. Sie will mich nie mehr sehen! Wir haben beide keine Chance. Kapierst du das?«

Bello knurrte zustimmend. Erst jetzt wurde Sternheim bewusst, dass er mit dem Hund sprach, als hätte er immer noch Herrn Bello vor sich. Beziehungsweise unter sich. Denn er hielt ihn immer noch gepackt.

»Verstehst du eigentlich, was man dir sagt?«, fragte er.

Der Hund nickte.

»Aha, das ist also wie bei Herrn Edgars Tieren auch. Das

Mensch-Sein hat abgefärbt«, sagte Sternheim. Er fragte den Hund: »Können wir jetzt normal miteinander reden? Von Mann zu Mann?«

Bello jaulte zustimmend.

»Na also«, sagte Sternheim und ließ den Hund los. »Dann komm mit mir ins Wohnzimmer!«

Spät in der Nacht wachte Max davon auf, dass er seinen Vater drüben im Wohnzimmer laut reden hörte. Max lauschte. Es kam Max seltsam vor, dass sein Vater redete und redete, aber niemand antwortete. Außerdem sprach sein Vater so merkwürdig verschliffen. Ob er am Ende betrunken war? Das konnte nicht sein! Max hatte seinen Vater noch nie betrunken erlebt. Aber wenn Schauspieler im Fernsehen einen Betrunkenen spielten, lallten sie auch so.

Max stand auf, ging in den Flur und lauschte hinter der Tür.

»Verstehst du die Frauen, Bello? Ich nicht! Sie will die Wahrheit wissen, also sag ich ihr die Wahrheit, und dann hält sie mich für einen Lügner. Hätte ich vielleicht lieber lügen sollen?«, sagte Sternheim mit schwerer Zunge. »Sei du mal froh, dass du wieder ein Hund bist. Doch, doch, Bello, widersprich mir nicht! Hundefrauen sind bestimmt nicht so kompliziert!«

»Wieder ein Hund? Wieso?«, sagte Max, betrat das Wohnzimmer und blieb erst mal stumm und staunend in der Tür stehen.

Sein Vater und Bello hatten es sich gemütlich gemacht und lümmelten nebeneinander auf dem Sofa. Vor ihnen auf dem Couchtisch stand die Likörflasche, ein halb leeres Glas

mit Gürkchen, eine Schachtel Hundekuchen und zwei geöffnete Dosen mit Hundefutter.

»Noch 'n Schluck?«, fragte Sternheim gerade, neigte sich
zum Hund hinüber und ließ ihn aus der Flasche trinken. Danach guckte Sternheim tiefsinnig oben in den Flaschenhals,
überlegte kurz und nahm dann ebenfalls einen Schluck aus
der Flasche.

»Papa!«, rief Max. »Was machst du! Und … und Bello …

warum … was ist los …? Warum ist Herr Bello wieder ein Hund?!«

Bello sprang von der Couch, ging schwankend auf Max zu, richtete sich auf, legte ihm die Vorderpfoten auf die Schultern und versuchte ihm das Gesicht abzulecken.

»Lass das, Herr Bello! Ich meine: Bello!«, rief Max. »Wieso bist du wieder ein Hund?«

»Max, setz dich zu mir. Sei nicht traurig. Es ist nun mal passiert«, sagte sein Vater. »Die Wirkung von dem Mittel lässt wohl nach einiger Zeit nach.«

»Armer Bello«, sagte Max und streichelte den Hund. Der legte den Kopf auf Max' Knie und schaute ihn traurig an.

Max fragte: »Kann man ihn wirklich nicht wieder zum Menschen machen?«

Sternheim zuckte die Achseln. »Wie denn? Es gibt nichts mehr von dem blauen Saft. Keinen Tropfen. Du hast ja alles ausgeschüttet und Bello hat es getrunken. Nichts mehr da.«

Beim Wort »getrunken« war ihm wohl wieder die Flasche eingefallen. Er nahm noch einen tiefen Schluck und versuchte dann vergeblich, die Flasche senkrecht auf den Tisch zurückzustellen.

»Papa, hör auf! Du bist ja völlig betrunken«, rief Max und nahm ihm die Flasche aus der Hand.

»Ja, betrunken. Zum ersten Mal in meinem Leben. Habe auch allen Grund dazu«, sagte Sternheim, legte sich zur Seite und schlief auf der Stelle ein.

Der Hund sprang zurück auf die Couch, drehte sich ein paarmal um sich selbst und legte sich neben Sternheim. Kurz darauf verkündete lautes Schnarchen, dass auch er eingeschlafen war.

Max holte eine Decke aus Sternheims Schlafzimmer, breitete sie über Herrn und Hund, ging dann zurück in sein Zimmer und legte sich wieder ins Bett.

Aus der Ferne hörte er eine Turmuhr schlagen: erst vier hohe Schläge, dann vier tiefe. »Vier Uhr nachts!«, murmelte Max. Kurz darauf war auch er eingeschlafen.

23.

Unverhoffter Besuch

Halb im Traum hörte Sternheim ein Klingeln. Er versuchte sich auf die andere Seite zu drehen, um weiterzuschlafen, und tastete neben sich nach dem Kopfkissen. Er bekam auch etwas zu fassen, aber es schien nicht sein Kissen zu sein. Es fühlte sich ziemlich haarig an. Sternheim hob ein wenig den Kopf und blickte verblüfft um sich: Er lag nicht in seinem Bett, wie er angenommen hatte, sondern auf der Couch. Und das, was er für sein Kopfkissen gehalten hatte, war Bello.

Jetzt klingelte es noch einmal. Ziemlich heftig.

Sternheim stand stöhnend auf, warf die Decke beiseite und hielt sich den schmerzenden Kopf. Auf dem Weg zur Wohnungstür kickte er die schmutzigen Kleider beiseite, die er bei seiner nächtlichen Rückkehr dort hingeworfen hatte. Er nahm den Hörer der Haussprechanlage ab und fragte mürrisch: »Ja?«

»Herr Sternheim?«, fragte eine weibliche Stimme.

»Ja. Wer denn sonst«, antwortete Sternheim.

»Na endlich! Hier ist Frau Knapp vom Jugendamt«, sagte die Stimme im Hörer. »Wie oft muss man bei Ihnen eigentlich klingeln, bis einem die Tür geöffnet wird?«

Sternheim war mit einem Schlag hellwach.

»Ach, Frau Knapp!«, sagte er. »Sie kommen im Moment

175

etwas ungelegen. Können wir vielleicht einen anderen Termin ...«

Sie unterbrach ihn. »Das Jugendamt kommt immer etwas ungelegen«, sagte sie. »Und nun machen Sie mir bitte die Tür auf!«

Sternheim drückte den Knopf, der die Haustür öffnete, drehte sich um und rannte ins Wohnzimmer zurück. Es sah grauenhaft aus: Sternheims zerrissenes Hemd lag vor der Schlafzimmertür, die Flasche auf dem Couchtisch war umgefallen, der Rest des Likörs war über die Tischkante auf den Teppich geflossen, am Boden lagen Hosen, Hemden und Jacken, in einem Hausschuh stand aus unerfindlichen Gründen eine halb volle Dose mit Hundefutter, im Schuh daneben steckten ein Gewürzgürkchen und ein verdreckter Esslöffel. Drum herum lagen halb zerkrümelte Hundekuchen verstreut.

Wenn ein Bühnenbildner versucht hätte, in einem Theaterstück »unhaltbare familiäre Zustände« darzustellen, hätte er es nicht besser hinkriegen können.

»Max, aufstehen! Das Jugendamt! Schnell! Zieh dich an!«, schrie Sternheim. Ein Blick auf die Armbanduhr hatte ihm gezeigt, dass es schon halb neun war. Max hätte längst in der Schule sein müssen.

Bello war ebenfalls hochgeschreckt, als er Sternheim »Frau Knapp« sagen hörte, und zur Flurtür gerannt. Das war ja sein Stichwort. Wäre er noch Herr Bello gewesen, hätte er ihr die Hand geben und sie mit einem »Guten Tag, freut mich!« begrüßen sollen. Nun stand er etwas ratlos neben der Tür.

»Bello, kann ich mich auf dich verlassen?«, fragte Sternheim, während er in höchster Eile die Kleidungsstücke im Flur aufsammelte.

Der Hund nickte.

»Dann geh ihr entgegen und halte sie irgendwie auf!«, befahl Sternheim, während er die Wohnungstür öffnete. »Bitte, halt sie auf! Denk an Max und das Kinderheim!«

Als Frau Knapp die Treppe hochkam, saß vor Sternheims Wohnungstür ein großer wuschelhaariger Hund. Sie blieb auf halber Treppe stehen und fragte: »Zu wem gehörst du denn? Bist du etwa bissig? Oder bist du ein lieber Hund?«

Der Hund legte den Kopf schief und blickte sie so treuherzig an, dass sie sagte: »Du musst ein lieber Hund sein! Was kannst du denn? Kannst du ›Platz!‹?«

Folgsam legte sich Bello hin und schaute sie aufmerksam an.

»Du bist ein gut erzogener Hund!«, sagte sie und stieg die restlichen Stufen hoch.

Frau Knapp hatte ein graues Kostüm an und trug in der Hand eine sehr amtlich aussehende Aktentasche.

»Kannst du auch Männchen machen?«, fragte sie. Sie stellte die Aktentasche neben sich auf den Boden und hob beide Hände, um Bello zu zeigen, was sie von ihm wollte.

Und wirklich setzte sich Bello auf die Hinterbeine, machte Männchen und streckte die Vorderbeine hoch.

»Sehr gut! Braver Hund!«, lobte sie und wollte ihre Aktentasche wieder aufnehmen. Aber Bello war schneller, nahm den Henkel der Tasche ins Maul und schleppte sie einen Treppenabsatz tiefer. Dort stellte er sie ab und schaute schwanzwedelnd hoch zu Frau Knapp.

»Was bist du nur für ein verspielter Hund!«, sagte Frau Knapp. »Komm, gib Frau Knapp die Tasche zurück! Los!«, befahl sie. Aber der Hund dachte nicht daran und sie musste die Treppe wieder hinuntersteigen.

Währenddessen versuchten Sternheim und Max in Panik die Wohnung aufzuräumen. Max hatte sich inzwischen angezogen. Aufs Waschen und Zähneputzen hatte er verzichtet. Das war jetzt nicht wichtig und würde dem Jugendamt sicher auch nicht auffallen.

Max suchte die verstreuten Kleidungsstücke zusammen, öffnete die Tür zur Toilette und warf alles in den kleinen Raum. Sein Vater holte einen Eimer aus der Küche, warf Flaschen, Hundefutterdosen, Schuhe und Socken hinein, dazu noch das schmutzige Geschirr aus der Küche und schleppte den Eimer ebenfalls in die Toilette.

Nun lag da aber noch der alkoholgetränkte Teppich.

»Bring das Täschli! Komm, bring mir das Täschli!«, befahl währenddessen Frau Knapp dem Hund. Kurz bevor Frau Knapp den Treppenabsatz erreichte, auf dem er saß – sie streckte schon die Hand nach der Aktentasche aus –, nahm Bello wieder den Henkel zwischen die Zähne, trug die Tasche hinunter in den Hausflur, stellte sie dort ab und schaute erwartungsvoll zu Frau Knapp hoch.

»Nein, nicht forttragen! *Bringen* sollst du die Tasche!«, rief sie und stieg weiter nach unten.

Sternheim und Max rollten inzwischen den beschmutzten Teppich zu einer dicken Wurst zusammen und schoben ihn unter die Wohnzimmercouch. Sternheim holte einen Lappen aus der Küche und begann den Boden aufzuwischen. »Der Mülleimer war schon gestern randvoll!«, rief er Max dabei zu. »Hast du ihn ausgeleert?«

»Hab ich vergessen«, sagte Max.

»Dann nimm ihn und trag ihn auch in die Toilette. Da wird sie ja wohl nicht reingucken.«

»Nicht in den Keller! Bitte, nicht in den Keller!«, rief Frau Knapp, als Bello mit der Tasche in der Schnauze jetzt auf die Kellertreppe zusteuerte.

Aber es nützte nichts. Sie musste Bello in den Keller folgen, wenn sie ihre Aktentasche wiederhaben wollte.

»So, nun kann Frau Knapp kommen«, sagte Sternheim aufatmend, nachdem er mit einer Socke schnell noch ein bisschen Staub gewischt hatte. Er steckte den Strumpf in die Hosentasche, öffnete die Flurtür und rief: »Frau Knapp? Hallo! Hier oben wohnen wir!«

Frau Knapp kam die Treppe hoch, die Aktentasche in der Hand. Bello ging brav neben ihr her, sprang dann voraus und witschte vor ihr in die Wohnung.

»Ist das Ihr Hund, Herr Sternheim?«, fragte sie, ganz außer Atem vom Treppensteigen. »Er ist sehr verspielt. Etwas zu verspielt, würde ich sagen!«

»Ja, das ist er«, bestätigte Sternheim. »Guten Morgen, Frau Knapp.« Sternheim hatte es geschafft, sich sogar noch die Haare zu kämmen, während sie den letzten Treppenabsatz hochgekommen war.

Nun tauchte auch Max neben seinem Vater in der Flurtür

auf. »Guten Morgen, Frau Knapp. Freut mich«, sagte er höflich, reichte ihr die Hand und machte eine kleine Verbeugung.

Frau Knapp öffnete ihre Aktentasche, nahm einen schmalen Ordner heraus und überflog die erste Seite.

»Du heißt Max und bist zwölf Jahre alt«, sagte sie dann. »Müsstest du um diese Zeit nicht in der Schule sein, Max?«

»Unser Erdkundelehrer Sitter ist im Krankenhaus«, sagte Max. Das war nicht einmal gelogen, denn Herr Sitter lag tatsächlich im Krankenhaus. Allerdings hatte Max in den ersten beiden Stunden Englisch bei Frau Antrobus.

»Ja, ich weiß. Doppelter Wadenbeinbruch«, sagte Frau Knapp. Sie war wohl bestens unterrichtet. »Nun möchte ich aber gerne mal die Wohnung sehen.«

»Bitte, Frau Knapp«, sagte Sternheim und ging voraus.

Frau Knapp ging zielstrebig in die Küche, inspizierte die Spüle und wischte mit dem Finger über den Küchenschrank.

»Sauberkeitsstufe vier«, sagte sie und machte eine Notiz.

Dann öffnete sie den Kühlschrank und schaute ins Tiefkühlfach.

»Na, na, na!«, sagte sie, nachdem sie eine Packung Paprikagemüse umgedreht hatte, um nach dem Verfallsdatum zu schauen. »Das werfen wir mal gleich in den Mülleimer! Der Paprika ist ja schon ein Jahr überfällig.«

»Ja, ja, ich weiß«, sagte Sternheim. »Den haben wir aus Ungarn mitgebracht. Den wollen wir ja auch gar nicht essen, den heben wir auf als Andenken an unseren Urlaub am Plattensee.«

»Sie sind ein sehr gefühlvoller Mensch, Herr Sternheim. Etwas zu gefühlvoll, würde ich sagen. Na gut, ich will Ihnen die schönen Erinnerungen nicht rauben«, sagte Frau Knapp und legte die Packung wieder zurück. »Nun ins Kinderzimmer!«

»Na ja, ein gewohntes Bild für mich«, sagte sie nach einem Blick ins Zimmer. »Die Kinder heutzutage sind alle nicht mehr so ordentlich wie wir seinerzeit. Ordnungsstufe drei bis vier, würde ich mal sagen.« Sie öffnete den Aktendeckel und machte sich Notizen. »Und wo wohnt der straffällig gewordene Italiener?«

»Bitte wer?«, fragte Sternheim.

»Na, dieser Herr Bello. Wegen dem bin ich doch hauptsächlich hier«, sagte sie.

»Ach, der!«, rief Sternheim. »Der wohnt nicht mehr bei uns. Der ist ausgezogen. Der ist dahin zurück, wo er hergekommen ist.«

»Ach, er wohnt nicht mehr hier«, sagte Frau Knapp und schrieb eine sehr lange Notiz in ihren Aktenordner.

Sternheim sagte: »Sie entschuldigen mich einen Moment, ja? Ich muss noch mal schnell in die Küche.«

Frau Knapp wandte sich Max zu und fragte: »Wer benutzt diese Matratze da an der Wand?« Sie zeigte auf Herrn Bellos Bett.

»Da schläft Bello, mein Hund«, sagte Max.

»Dein Hund«, wiederholte sie und machte eine Notiz.

Sie warf noch einen schnellen Blick ins Wohnzimmer und wollte sich schon wieder umdrehen, da fiel ihr Blick auf den zusammengerollten Teppich, der unter dem Sofa hervorragte. Bevor sie hingehen und nachsehen konnte, kam Bello

mit einem Teewagen aus der Küche. Er ging auf den Hinterbeinen und schob den Wagen, indem er sich mit den Vorderpfoten auf den Rand des Servierwagens stützte. Auf dem Wagen stand eine Flasche Mineralwasser und ein Glas.

»Ein Wasser für Sie, Frau Knapp?«, fragte Sternheim, der zusammen mit dem Hund ins Zimmer gekommen war.

»Ein außergewöhnlich intelligenter Hund!«, rief Frau Knapp. »Haben Sie ihm das alles beigebracht?«

»Ja, Papa ist ein guter Hundetrainer«, sagte Max, der aus seinem Zimmer dazukam.

Frau Knapp war begeistert. »Herr Sternheim, Ihre Haushaltsführung mag ja zu wünschen übrig lassen«, sagte sie. »Was allerdings Ihre Fähigkeiten als Hundetrainer betrifft: bewundernswert, würde ich sagen. Sie müssen wissen, ich habe auch einen Hund. Einen Spitz. Aber außer ›Sitz!‹ kann er noch gar nichts. Dabei übe ich jeden Tag mit ihm.«

»Man muss eben Geduld haben. Mit Hunden und mit Kindern«, sagte Sternheim.

»Und die haben Sie offenbar«, sagte Frau Knapp. »Tja, damit ist für mich die Sache hier erledigt. Keine Beanstandungen meinerseits! Ich müsste nur noch mal Ihre Toilette benutzen, wenn Sie erlauben.«

Frau Knapp blickte sich suchend um und entdeckte die richtige schmale Tür. Die Tür, hinter die Max und sein Vater den ganzen Müll und Abfall aus der Wohnung geschaufelt hatten! Sternheim stellte sich ihr in den Weg und sagte: »Nehmen Sie doch lieber die Toilette im Badezimmer! Die ist bequemer.«

»Ja, sehr viel bequemer!«, bestätigte Max.

»Nein, nein, ich will nicht indiskret sein!«, antwortete Frau Knapp und steuerte zielstrebig auf die Toilettentür zu. Sternheim und Max hielten den Atem an, als sie nun mühsam die Tür nach innen drückte und dabei wohl einige Kartons beiseite schob.

»Etwas schwergängig, die Tür«, sagte sie zu Sternheim.

Sie warf einen Blick durch den schmalen Türspalt und rief: »Oh, Pardon! Entschuldigung! Ich wollte nicht stören.«

Der Hund saß wie ein Mensch auf der Toilettenschüssel und blickte Frau Knapp vorwurfsvoll an.

»Unglaubliche Dressurleistung! Jetzt muss ich wohl doch Ihre Toilette im Badezimmer benutzen«, sagte sie.

Bevor sie dann ging, sagte sie zu Sternheim: »Erlauben Sie mir eine abschließende persönliche Bemerkung, Herr Sternheim ...«

»Nennen Sie mich bitte nur Sternheim, das genügt«, sagte Sternheim.

»Eine abschließende Bemerkung, Sternheim«, wiederholte sie. »Sie machen Ihre Sache als allein erziehender Va-

ter recht gut. Trotzdem: In diesem Haushalt fehlt eine Frau. Haben Sie schon mal darüber nachgedacht?«

Sternheim wurde ganz melancholisch. »Ja, erst gestern Abend. Ganz ausführlich. Aber es ist nicht so einfach, wie Sie sich das vielleicht vorstellen!«

»Dann sollten Sie ruhig weiter darüber nachdenken, würde ich sagen. Auf Wiedersehen«, sagte Frau Knapp und ging.

Als Bello aus der Toilette kam, wurde er von Max und Sternheim stürmisch umarmt und gestreichelt.

»Bello, braver Hund!«, sagte Sternheim und strich Bello über den Kopf. »Ich mag mir gar nicht vorstellen, was passiert wäre, wenn du sie nicht aufgehalten hättest!«

»Dann könntest du mich nächste Woche im Kinderheim besuchen«, sagte Max und drückte seinen Hund fest an sich.

»Bello, du hast uns gerettet!«

24.

Max ist ratlos

Eigentlich hätte man doch denken können, dass nun alle froh und gut gelaunt sein würden. Schließlich war die Gefahr vorbei. Bello hatte uns gerettet und war auch sehr dafür gelobt worden. Und Papa musste keine Angst mehr haben, dass man mich ihm wegnimmt und in ein Kinderheim steckt.

Aber sowohl Papa als auch Bello hingen traurig und mit gesenktem Kopf herum.

Ich dachte erst, dass der Alkohol daran schuld war. Im Fernsehen hatte ich mal einen Mann gesehen, der hatte sich betrunken, weil seine Frau mit ihrem Reitlehrer weggelaufen war. Der hatte gestöhnt und sich den Kopf gehalten, als er wieder nüchtern war. Der Mann, meine ich, nicht der Reitlehrer.

Aber es hatte wohl doch nichts mit dem Alkohol zu tun. Als ich aus der Schule kam, hatte sich nichts geändert.

Papa stand unten in der Apotheke mit einem Gesicht, als hätte man ihn gerade zu einer Gefängnisstrafe verurteilt. Und zwar mindestens lebenslänglich.

»Papa, was ist los? Was hast du?«, fragte ich.

»Nichts, nichts«, antwortete er, drehte mir den Rücken zu und sortierte Fruchtgummis ins Regal. Dabei stellte er die roten zu den blauen. Das hätte er vorher nie gemacht.

»Du hast doch was«, sagte ich. »Freust du dich nicht, dass die Wohnungsprüfung so gut ausgegangen ist?«

»Doch, natürlich«, sagte er und drehte sich zu mir um. »Natürlich freue ich mich.«

»Aha. So ein Gesicht macht man also, wenn man sich freut«, sagte ich.

»Du hast ja Recht«, sagte Papa, kam um den Ladentisch herum und legte mir den Arm um die Schulter. »Aber das hat nichts mit dir zu tun. Das hängt mit Frau Lichtblau zusammen.«

»Frau Lichtblau?«, fragte ich. »War sie unfreundlich zu dir? Aber sie ist doch eigentlich sehr nett, oder?«

»Nett?«, überlegte Papa. »Sie ist mehr als das. Sie ist, wie soll ich es sagen? Liebenswürdig! Ja, sogar liebenswert. Wenn sie nicht so wäre, ging's mir wahrscheinlich besser.«

»Das verstehe ich jetzt gar nicht«, sagte ich. »Sie ist liebenswürdig. Was ist das Problem dabei?«

»Dass sie *mich* nicht liebenswürdig findet«, sagte Papa und seufzte.

»Hauptsache, *ich* finde dich liebenswürdig«, sagte ich. »Ich geh jetzt nach oben und mach uns ein schönes Mittagessen. Dann geht's dir bestimmt wieder besser.«

»Ich hab keinen Hunger. Iss du mal mit Herrn Bello alleine«, sagte Papa.

»Mit Bello!«, verbesserte ich ihn.

Aber Bello schien auch keinen Appetit zu haben. Er rührte sein Hundefutter kaum an.

»Ich kann verstehn, dass du nicht gerade fröhlich bist. Ich find's ja auch schade, dass du wieder ein Hund bist und wir nicht mehr miteinander reden können«, sagte ich und streichelte ihn. »Erinnere dich einfach daran, dass dein Leben als Hund auch nicht ganz schlecht war. Du hast es doch gut bei uns. Kriegst regelmäßig dein Fressen und schläfst bei mir im Zimmer. Andere Hunde müssen nachts in eine kalte Hundehütte. Außerdem verstehst du jetzt die Menschensprache. Das ist doch so, oder?«

Bello schaute mich an und nickte ein paarmal.

»Na also. Los, komm mit, wir gehen spazieren. Ohne Leine. Draußen kriegst du vielleicht bessere Laune.«

Wir gingen zusammen in den Stadtpark. Ich setzte mich auf eine Bank am Teich und guckte den Enten zu. Bello lag im Schatten daneben. Ich hatte ihn nicht angeleint, wie versprochen. Trotzdem hatte er keine Lust, herumzurennen wie früher. Er lag nur da, den Kopf auf die Vorderläufe gelegt und starrte vor sich hin.

Plötzlich setzte er sich auf und schaute aufmerksam den Weg entlang. Da kam ein hagerer älterer Mann, der einen Hund an der Leine führte. Bello wurde ganz unruhig und stand auf. Jetzt machte der Mann die Leine los und ließ seinen Hund frei laufen.

Das Tier kam auf uns zu. Es war eine Collie-Hündin. Sie hatte lange, schön gewellte Haare, die oben am Kopf durch eine auffallende lila Schleife zusammengebunden waren. Die lila Schleife passte farblich nicht so recht zu ihren rostroten Haaren.

Bello rannte der Collie-Hündin entgegen. Aber bevor sich die beiden beschnuppern konnten, rief der Mann kurz und scharf: »Adrienne, bei Fuß! Komm sofort her!«

Die Hündin kam zögernd zu ihrem Besitzer zurück. Der Mann machte die Leine hastig an ihrem Halsband fest, zog sie dicht zu sich heran und schrie Bello an: »Los, verschwinde, du Köter! Hau ab, du Bastard! Lass Adrienne in Ruh!«

Weil Bello nicht gleich hörte, bückte sich der Mann, nahm eine Hand voll Steine vom Boden auf und warf sie in Bellos Richtung.

»Weg da!«, rief er dabei.

Ich sprang auf. »Lassen Sie meinen Hund in Ruhe!«, rief ich. »Sie können doch nicht nach ihm werfen!«

»Dir gehört er? Dann leg ihn gefälligst an die Leine!«, rief der Mann zurück.

»Ich brauche keine Leine. Bello folgt auch so«, sagte ich. »Bello, komm her zu mir!«

Bello kam zu mir, wenn auch langsam.

189

»Ich wusste nicht, dass es dein Hund ist«, sagte der Mann. »Ich dachte, es sei einer von diesen herrenlosen Streunern. Ich wollte nicht, dass er Adrienne belästigt!«

»Adrienne?«, fragte ich. »Komischer Name für einen Hund.«

»Reinrassige Hunde haben eben besondere Namen. Sie heißt Adrienne von Eschenheim. Erster Wurf, wie du hörst.«

»Erster Wurf?«, fragte ich.

»Du scheinst nicht gerade viel von Hundezucht zu verstehen«, sagte er herablassend. »Wenn Hündinnen zum ersten Mal Welpen bekommen, nennt man ihren ersten Wurf den A-Wurf. Die Jungen bekommen dann alle einen Namen, der mit A beginnt. Asta, Astor oder eben Adrienne. Der zweite Wurf ist dann der B-Wurf. Dein Bello stammt nie und nimmer aus einem B-Wurf. Das ist höchstens ein Nello oder Sello. Na ja, er ist auch alles andere als ein Rassehund, ein Mischling eben.«

»Das ist mir doch egal«, sagte ich. »Er ist jedenfalls der beste Hund, den ich mir vorstellen kann. Komm, Bello, wir gehen nach Hause!«

Bello folgte mir zwar, drehte sich aber immer wieder um und blickte zur Collie-Hündin zurück. Sie zerrte an ihrer Leine und wäre am liebsten hinter Bello hergelaufen, das merkte man.

Mir kam ein Verdacht. »Bello, als du noch Herr Bello warst, hast du mir doch mal von deiner großen Hundeliebe erzählt. War das am Ende diese Adrienne?«

Bello guckte mich traurig an, und ich spürte, wie schlimm er es fand, nicht sprechen zu können. Ich wurde selber ganz bedrückt.

»Wenn es diese Adrienne ist, hat sie jedenfalls einen saudoofen Besitzer«, sagte ich. »Ich kann mir nicht vorstellen, dass sie sich bei dem wohl fühlt.«

Vor der Apotheke begegneten wir Frau Lichtblau, die auch gerade nach Hause kam.

»Hallo, Frau Lichtblau«, rief ich.

Sie sagte leise und traurig: »Ach, Max«, beachtete Bello kaum und ging schnell vor uns durch die Tür und die Treppe hoch in ihre Wohnung.

»Wenn es einen Wettbewerb gäbe: Wer macht das trübsinnigste Gesicht der Welt?, dann müssten sich Papa und Frau Lichtblau den ersten Preis teilen«, sagte ich zu Bello. »Und du kriegst den zweiten! Und wenn du weiter so den Kopf hängen lässt, dann komm ich bald in die engere Wahl für den dritten Preis. Das ist nämlich ansteckend, musst du wissen.«

Ich hatte gedacht, dass sich Papas Laune am nächsten Tag bessern würde. Aber am nächsten Morgen sah alles eher noch schlimmer aus. Papa saß am Frühstückstisch, den Kopf in die Hände gestützt, guckte stumm vor sich hin, aß nicht einen Bissen und ließ die Morgenzeitung ungelesen auf dem Tisch liegen.

»Langsam krieg ich eine richtige Wut auf Frau Lichtblau!«, sagte ich zu ihm.

»Weshalb denn?«, fragte er.

»Sie ist doch schuld, dass du so rumhängst«, sagte ich. »Was war denn mit ihr? Erzähl doch mal endlich!«

Erst guckte er mich lange schweigend an. Ich dachte schon, er will nicht darüber reden, dann sagte er: »Ich hab ihr erzählt, dass Herr Bello früher mal ein Hund war und jetzt wieder einer geworden ist.«

»Das hast du ihr erzählt?«, rief ich. »Und zu mir hast du gesagt, wir dürfen mit niemandem darüber reden, sonst bist du die längste Zeit Apotheker gewesen!«

»Ich weiß ja«, sagte Papa. »Ich musste es ihr erzählen, es ging nicht anders.«

»Und?«, fragte ich.

»Sie hat mir kein Wort geglaubt. Sie war richtig empört. Sie denkt, ich will mich über sie lustig machen, und redet nicht mehr mit mir«, sagte Papa. »Das ist es, was mich traurig macht. Jetzt weißt du es.«

Damit stand er auf und ging nach unten in die Apotheke.

So geht es jedenfalls nicht weiter, ich muss etwas unternehmen, sagte ich mir.

Am Spätnachmittag, als Frau Lichtblau von ihrer Arbeit

zurückgekommen war, stieg ich die Treppe hoch und klingelte. Sie öffnete die Flurtür und sagte:»Max? Du willst zu mir?«

Eine merkwürdige Frage, schließlich hatte ich an ihrer Tür geläutet. Am liebsten hätte ich geantwortet:»Zu wem denn sonst?« Aber ich hatte ja vor, ein ernstes Gespräch mit ihr zu führen, und wollte nicht unhöflich sein. Sie blieb in der Tür stehen und sagte nicht, dass ich reinkommen soll.

»Es ist wegen Papa«, fing ich an.

»Dein Papa schickt dich?«, fragte sie. Sie war ganz aufgeregt.»Schickt er dich vor, weil er sich entschuldigen will? Das ist aber nett. Das freut mich sehr. Sag ihm ...«

Ich unterbrach sie.»Er muss sich nicht entschuldigen«, sagte ich.»Er hat Sie nämlich gar nicht angelogen. Sie glauben nicht, dass Herr Bello mal ein Hund war! Aber es stimmt! Sie haben doch selbst gesehen, dass er wieder ein Hund geworden ist!«

»Hat dich dein Vater geschickt, mir das zu sagen?«, fragte sie.»Du kannst ihm ausrichten: Er hat mich enttäuscht. Sehr, sehr enttäuscht.« Sie nahm ihr Taschentuch aus der Jackentasche und tat so, als ob sie sich die Nase putzen würde. Ich merkte aber, dass sie weinte und es mir nicht zeigen wollte.

»Frau Lichtblau, Sie müssen uns glauben!«, sagte ich.

Sie steckte das Taschentuch ein und sagte:»Und dass du jetzt mitspielst bei seinem dummen Spiel, enttäuscht mich auch. Es ist besser, du gehst jetzt!«

Damit schloss sie die Wohnungstür und ließ mich einfach stehen.

25.

Eine Chorprobe

Am Samstagabend kam Sternheim überpünktlich zur Chorprobe des Gesangvereins in den Stadtsaal. Er hoffte, dass auch Frau Lichtblau da sein würde, denn er wollte versuchen, sich mit ihr zu versöhnen und ihr zu erklären, dass er sie bestimmt nicht kränken wollte. Er hatte sich schon genau zurechtgelegt, was er ihr sagen würde. Frau Lichtblau kam auch wirklich kurz nach ihm in den Saal. Er lächelte ihr zaghaft zu. Aber sie schaute an ihm vorbei und stellte sich zu den Sopranstimmen ohne ihn zu beachten. Sternheim senkte seinen Kopf tief übers Notenblatt. Er wollte nicht, dass alle sahen, wie tief enttäuscht er war und wie sehr ihn Frau Lichtblaus ablehnender Blick getroffen hatte.

Herr Edgar, der sonst immer als Erster im Gesangverein eintraf, wäre diesmal fast zu spät gekommen. Er hatte einen sehr großen Deckelkorb unter dem Arm. Als er ihn abgestellt und den Korbdeckel geöffnet hatte, sahen die verblüfften Chormitglieder, dass er darin drei Hennen mitgebracht hatte.

Herr Edgar beugte sich über den Korb und sagte zu den Tieren:»Ihr dürft rauskommen und zuhören. Setzt euch dort auf den Stuhl und seid bitte ganz leise!«

Die Hühner kletterten heraus und hüpften flatternd auf

den Stuhl, den ihnen Herr Edgar zurechtrückte. Da blieben sie eng aneinander gekuschelt sitzen.

Herr Edgar spürte die erstaunten Blicke der Chormitglieder in seinem Rücken, drehte sich um und sagte: »Sie haben doch sicher nichts dagegen, dass ich drei meiner Hühner teilnehmen lasse.« Er war ein bisschen verlegen und fügte schnell hinzu: »Natürlich nur passiv, sie sollen nicht etwa mitsingen. Es hat sich nämlich herausgestellt, dass sie erstaunlich musikalisch sind, und da wollte ich ihnen den Hörgenuss nicht vorenthalten. Stellen Sie sich vor: Die drei können sogar Beethoven von Mozart unterscheiden!«

»Wie wollen Sie das denn wissen?«, fragte eines der Chormitglieder.

»Immer, wenn ich ihnen Beethoven vorspiele, nicken sie im Takt mit den Köpfen«, erklärte Herr Edgar.

»Und bei Mozart?«, fragte eine der Sängerinnen.

»Bei Mozart wackeln sie mit den Flügeln. Ich habe schon mehrmals diesen Versuch gemacht, sie haben die beiden Komponisten noch nie verwechselt. Selbst beim sehr frühen Beethoven, der ja manchmal Ähnlichkeit mit Mozart hat, ließen sie sich nicht täuschen. Eindeutiges Kopfnicken bei allen dreien!«, erzählte Herr Edgar stolz. »Aber genug damit. Wir beginnen nun mit dem Lied auf dem obersten Notenblatt: ›Die Forelle‹ von Franz Schubert, Bearbeitung für gemischten Chor von E. Schregglich.«

Der Chor begann zu singen, Herr Edgar dirigierte, und die drei Hühner auf ihrem Stuhl scharrten im Takt mit den Füßen.

Nach der Chorprobe sammelte Herr Edgar seine drei Hühner wieder ein und verstaute sie im Deckelkorb.

Sternheim wartete, bis die anderen Chormitglieder gegangen waren, und sagte im Hinausgehen zu Herrn Edgar: »Kommst du mit auf ein Bier? Ich könnte jedenfalls eines vertragen.«

»Heute leider nicht«, sagte Herr Edgar. »Meine Hühner gehen normalerweise ›mit den Hühnern schlafen‹, wie man sagt. Also zwischen achtzehn Uhr dreißig und neunzehn Uhr.« Er sah auf die Armbanduhr. »Sie würden jetzt schon drei Stunden und 15 Minuten schlafen. Es ist höchste Zeit, dass ich sie nach Hause bringe. Mach's gut, Sternheim! Bis zum nächsten Mal!«

Damit stieg er auf seinen Traktor und stellte den Hühnerkorb neben sich ab. Er hatte schon den Motor angelassen und wollte losfahren, da blickte er noch mal zu Sternheim hinunter, der traurig daneben stand.

Herr Edgar stellte den Motor wieder ab und stieg vom Traktor.

»Sternheim, ich habe das Gefühl, dass du heute Abend kein Bier brauchst, sondern jemanden, mit dem du reden kannst. Du hast irgendeinen Kummer. Stimmt's?«

Sternheim nickte.

Herr Edgar fragte: »Hängt es mit dieser Frau zusammen, dieser Frau ... äh ... Lichtgrau?«

»Lichtblau«, verbesserte Sternheim und nickte.

»Genau. Lichtblau«, sagte Herr Edgar. »Mitgliedsnummer 39-Strich-Wei. Mit Farben habe ich immer Schwierigkeiten, da warst du schon in der Schule besser. Bist du etwa unglücklich verliebt?«

Sternheim nickte.

Herr Edgar kratzte sich am Kopf. »Willst du meinen Ratschlag hören?«, fragte er dann.

Sternheim schaute ihn fragend an.

»Vergiss sie einfach!«, sagte Herr Edgar. »Kennst du die beste Methode, etwas zu vergessen?«

Sternheim schüttelte den Kopf.

»Nicht mehr daran denken!«, sagte Herr Edgar. »Einfach nicht mehr daran denken.«

Damit stieg er wieder auf den Traktor. »So, nun wird es für mich und meine Hühner aber wirklich Zeit, nach Hause zu fahren«, sagte er von oben. »Ich hoffe, unser Gespräch hat dir ein bisschen geholfen.«

Sternheim zuckte die Achseln.

»Ja, so ein ernstes Gespräch unter Freunden kann wahre Wunder wirken«, sagte Herr Edgar zufrieden. »Gute Nacht, Sternheim.«

»Gute Nacht, Herr Edgar«, sagte Sternheim und ging mit gesenktem Kopf nach Hause.

26.

Max entwickelt einen Plan

In der nächsten Woche wurde es mir dann zu viel. Es war am Mittwoch.

Ich deckte den Abendbrottisch besonders schön und sagte zu Bello:»Heute machen wir ein richtig schönes, gemütliches, ausführliches Abendessen zu dritt. Du hörst, bitte schön, auf, deine Stirn in Falten zu legen. Du vergisst mal für eine Stunde deine Collie-Freundin, und Papa wird nicht immerzu an Frau Lichtblau denken.«

Als Papa aus der Apotheke hochkam, setzte er sich wie üblich an den Abendbrottisch.

Ich hätte gedacht, dass er jetzt fragt, ob es vielleicht was zu feiern gibt, oder dass er wenigstens feststellt, wie schön ich den Tisch gedeckt hatte. Aber er schien es gar nicht zu bemerken.

Da wurde es mir dann wirklich zu viel. Ich wurde wütend.

»Sag mal, Papa: Hast du jetzt vor, bis an dein Lebensende nicht mehr zu sprechen und höchstens mal mit ›Ja‹ oder ›Nein‹ zu antworten?«, fragte ich.

»Nein«, antwortete Papa.»Nein, nein.«

»Hast du wenigstens gesehen, wie schön ich den Tisch für dich gedeckt habe?«

»Ja«, antwortete Papa, betrachtete den Tisch, und ich merkte, dass er ihn jetzt erst richtig zur Kenntnis nahm.

»Und du kennst tatsächlich auch noch andere Wörter als ›Ja‹ und ›Nein‹?«, fragte ich.

»Ja, ja«, antwortete er.

»Ja, ja!«, machte ich ihn nach. »Wenn du so weitermachst, geh ich freiwillig ins Kinderheim!«

Das war natürlich gelogen. Ich wäre nie und nimmer freiwillig ins Kinderheim gegangen. Schon gar nicht jetzt, wo es Papa so schlecht ging. Ich sagte das nur als Drohung, und es wirkte auch. Papa antwortete jedenfalls mehr als nur Ja oder Nein.

»Max, findest du es wirklich so schlimm mit mir?«, fragte er erschrocken.

»Ja, Papa«, sagte ich, stand auf, kam um den Tisch herum und stellte mich neben ihn. »Ist es wirklich so schlimm, dass Frau Lichtblau nichts mehr von dir wissen will?«

»Max, wie soll ich dir das sagen«, antwortete er zögernd. »Du bist noch ein Kind und verstehst noch nicht, wie das ist mit der Liebe.«

»Du kannst es mir ja erklären«, sagte ich.

»Als deine Mutter sich von mir scheiden ließ, habe ich beschlossen, mich nie mehr zu verlieben und nie mehr zu heiraten. Auch dir zuliebe. Ich wollte dir keine neue Mutter zumuten.«

»Die Frau Lichtblau dürftest du mir schon zumuten«, sagte ich. »Die kannst du ruhig heiraten.«

»Ja, genau in die habe ich mich dann verliebt. Ich war selber überrascht darüber«, sagte Papa. »Was das Schlimme ist: Ich glaube sogar, dass sie sich auch in mich verliebt hatte. Sie hat so was gesagt, bevor sie aus dem Restaurant gerannt ist. Und trotzdem kommen wir nicht zusammen. Das ist nämlich das Traurige dabei.«

»Frau Lichtblau ist aber auch ganz schön stur«, schimpfte ich. »Warum will sie nicht glauben, dass Bello mal Herr Bello war!«

»Ich kann sie sogar verstehen«, sagte Papa. »Wenn ich dir vor vier Wochen erzählt hätte, dass es einen Saft gibt, der aus Hunden Menschen macht – was hättest du dann gedacht?«

»Dass du Märchen erzählst«, gab ich zu. »Weißt du, Papa, wir müssen ihr eben beweisen, dass es so ist. Wenn wir Bello noch mal von diesem Saft zu trinken geben, während sie zuguckt, dann sieht sie, dass wir nicht gelogen haben. Kannst du nicht so einen Saft zusammenmischen? Der Urgroßvater hat es doch auch gekonnt!«

»Der war ja auch ein genialer Mensch. Der ›Magier aus der Löwengasse‹. So was könnte ich nie, und wenn ich hundert Jahre experimentiere.«

»Woher hattest du eigentlich den Saft?«, fragte ich.

»Ich hab's dir doch erzählt«, sagte Papa. »Eine alte Frau hat ihn mir geschenkt. Sie hat dabei geheimnisvolle Andeutungen gemacht. Dass dein Urgroßvater den Saft an ihr ausprobiert hätte oder so ähnlich. Ich habe den Verdacht, dass sie auch mal ein Hund war, beziehungsweise eine Hündin.«

»Und warum hat sie sich dann nicht zurückverwandelt, wenn die Wirkung nachließ?«, fragte ich.

»Sie hatte ja genügend von dem Saft. Die ganze große

Flasche voll«, antwortete Papa. »Wenn sie spürte, dass die Verwandlung einsetzte, brauchte sie nur einen Schluck zu trinken, dann war sie wieder ein Mensch.«

»Dann ist sie aber inzwischen ein Hund«, sagte ich. »Wenn bei Herrn Bello die Wirkung nachgelassen hat, dann doch auch bei ihr. Sie hat dir doch den ganzen Saft gebracht.«

»Nein, nein. Sie hatte sich eine Flasche davon abgefüllt und in den Küchenschrank gestellt. Für alle Fälle, hat sie gesagt ...«, erzählte Papa, unterbrach sich dann und schaute mich groß an. »Dann ... dann gibt es ja doch noch was von diesem Saft!«, rief er.

»Und wenn es noch was von diesem Saft gibt, brauchen wir sie nur zu bitten, uns einen Teelöffel voll davon abzugeben. Das genügt. Das macht sie bestimmt«, sagte ich.

Papa war mit einem Mal völlig verwandelt. Gar nicht mehr niedergeschlagen.

»Ein genialer Plan!«, rief er. »Den Saft vermischen wir dann mit Wasser. Und Bello trinkt ihn vor den Augen von Frau Lichtblau aus«, sagte er. »Dann sieht sie, wie er wieder Herr Bello wird, und muss mir glauben!«

Bello hatte die ganze Zeit dabeigesessen und aufmerksam gelauscht. Aber er schien von dieser Idee gar nicht begeistert zu sein und schüttelte energisch den Kopf.

»Heißt das ›Nein‹? Willst du etwa kein Mensch werden?«, rief Papa.

Bello schüttelte wieder den Kopf.

»Aber Mensch-Sein ist doch gut«, versuchte Papa ihn zu überzeugen. »Mensch-Sein ist sogar sehr gut! Dann kannst du auf zwei Beinen gehen! Dann darfst du Kleider anziehen.

Und schöne Schuhe. Dann kannst du ins Konzert gehen und Musik hören. Ist das nicht gut? Und du hast nicht nur Pfoten, du hast Hände mit Fingern dran und kannst zum Beispiel den Löffel halten …«

Ich merkte, dass dies nicht gerade ein verlockendes Beispiel war, und unterbrach Papa.

»Du kannst dann wieder mit uns sprechen, Bello«, sagte ich. »Wir können dich wieder verstehen, wenn du uns was sagen willst.«

Bello schien darüber nachzudenken. Dann aber schüttelte er den Kopf, als wollte er sagen: »Das wäre zwar nicht schlecht, aber ich möchte trotzdem ein Hund bleiben.«

»Was machen wir nur?«, fragte Papa. »Wenn er sich weigert, den Saft zu trinken, ist unser schöner Plan umsonst. Kannst du verstehn, weshalb er kein Mensch werden will?«

»Ich glaube, ich weiß es«, sagte ich. »Bello ist verliebt.«

Bello nickte heftig.

»Ach so. Dieser Hund will also nicht, dass Frau Lichtblau sieht, dass ich die Wahrheit gesagt habe!« Papa war sauer. »Bello kann es wohl nicht ertragen, dass Frau Lichtblau mich dann wieder mag!«

»Nein, Papa, falsch!«, sagte ich. »Er ist gar nicht mehr in Frau Lichtblau verliebt. Als Hund hat er sich in eine Collie-Hündin verknallt. Er kennt sie von früher.«

»In eine Hundefrau?«, fragte Papa. »Dann ist alles umsonst. Unser Plan klappt nicht, wenn Bello den Saft nicht trinkt.«

»Ich hab auch einen genialen Plan«, sagte ich und grinste Papa an.

Ich beugte mich zu Bello hinunter und flüsterte ihm ins

Ohr. Der Hund hörte aufmerksam zu, dann schaute er mir ins Gesicht und nickte.

»Gut, Papa. Dann nehmen wir uns morgen ein Fläschchen, gehen zu der alten Frau und lassen uns was von dem blauen Saft abfüllen«, sagte ich.

»Wie ... was ... warum?«, stotterte Papa. »Aber Bello ...«

»Keine Sorge. Bello wird den Saft trinken«, sagte ich. »Nicht wahr, Bello?«

Der Hund nickte.

27.

Auf der Suche

Am nächsten Morgen hängte Sternheim wieder das Schild »Vorübergehend geschlossen« innen an die Glastür der Apotheke. Max und der Hund standen daneben und schauten zu.

Als die drei gerade gehen wollten, kam Frau Lissenkow.

»Ist Ihre Apotheke eigentlich auch mal geöffnet, Herr Sternheim?«, fragte sie. »Oder bedeutet ›Vorübergehend geschlossen‹ bei Ihnen, dass man vorübergehen kann, wann man will, und immer ist geschlossen? Vielleicht sollten Sie lieber ein Schild schreiben: ›Vorübergehend geöffnet‹!«

»Guten Morgen, Frau Lissenkow. Heute ist ja Donnerstag! Ich hatte ganz vergessen, dass Sie wieder bei uns putzen wollten. Hier ist der Wohnungsschlüssel, Sie können gleich anfangen«, sagte Sternheim. »Es ist wirklich kurios, dass Sie immer genau dann kommen, wenn ich aus dringenden Gründen mal den Laden schließen muss. Max und ich sind in einer wichtigen Sache unterwegs.«

»Wieder Düngemittelprobleme?«, fragte sie.

»Ja, im weitesten Sinn«, antwortete Sternheim.

Max fragte: »Frau Lissenkow, wie finden Sie eigentlich Bello?«

»Ach, das ist also dein Hund«, sagte Frau Lissenkow. »Sehr schönes Tier!«

Max sagte zu Bello: »Bedanke dich bei Frau Lissenkow. Ohne sie hätte ich nie einen Hund gekriegt.«

Bello ging zu Frau Lissenkow und reichte ihr die rechte Vorderpfote. Sie schüttelte sie verblüfft und sagte zu Max: »Was du dem Hund in so kurzer Zeit beigebracht hast! Enorm!«

Dann streichelte sie Bello über die Ohren und fragte dabei Sternheim: »Muss Ihr Sohn denn nicht zur Schule?«

»In gewisser Weise schon«, antwortete Sternheim. »Ich werde ihm eine Entschuldigung schreiben. Heute wird er hier dringend gebraucht.«

»Na, dann will ich Sie nicht weiter aufhalten und mal gleich an die Arbeit gehen. Viel Erfolg!«, sagte Frau Lissenkow und schloss die Haustür auf. Bevor sie hineinging, drehte sie sich noch mal um. »Die Ohren von Ihrem Hund sollte man übrigens auch mal putzen.«

Als Frau Lissenkow hinter der Tür verschwunden war, fragte Max: »Papa, wo gehen wir jetzt eigentlich hin?«

»Gute Frage!«, sagte sein Vater. »Genau das ist das Problem. Ich habe keine Ahnung, wo wir die alte Frau finden können. Wir werden uns bei Herrn Rüdiger erkundigen, meinem Friseur. Friseure wissen immer alles.«

»Warum hast du nicht Frau Lissenkow gefragt?«, sagte Max. »Die weiß auch immer alles.«

»Das wäre einen Versuch wert«, sagte Sternheim. »Gehn wir noch mal nach oben.«

Oben in der Wohnung war Frau Lissenkow gerade dabei, den Wohnzimmerteppich zu saugen. Bello rettete sich vor dem Staubsauger aufs Sofa.

Frau Lissenkow schüttelte fassungslos den Kopf. »Sie las-

206

sen zu, dass sich der Hund aufs gute Sofa setzt?« Sie schrie, um das Staubsaugergeräusch zu übertönen. »Das gibt Hundehaare auf dem Polster!«

Sternheim winkte ab. »Nicht so schlimm!«, rief er. »Wir haben im Moment andere Sorgen.«

»Sorgen?«, fragte sie neugierig und stellte den Staubsauger aus. »Erzählen Sie!«

Sternheim sagte: »Wir suchen nach einer alten Frau mit kurzen weißen Haaren. Sie hat immer einen Pelzmantel an.«

»Pelzmantel? Jetzt um diese Jahreszeit?«, sagte Frau Lissenkow. »Dann hat sie die gleiche Angewohnheit wie die Frau, die unten am Fluss wohnt. Die nachts den Vollmond anheult.«

»Den Mond?«, rief Sternheim. »Das ist doch die Frau, die wir suchen! Sie wissen, wo sie wohnt?«

»Ich weiß von ungefähr jedem in der Stadt, wo er wohnt«, sagte Frau Lissenkow nicht ohne Stolz. »Schließlich lebe ich schon mehr als 60 Jahre hier.«

»Und wo genau wohnt sie?«, fragte Sternheim.

»Unten am Fluss gibt es doch so eine alte Schleuse«, fing Frau Lissenkow an.

»Da, wo die kleine Holzbrücke ist?«, fragte Max.

»Genau da«, bestätigte Frau Lissenkow. »Neben der Schleuse ist ein großer Garten und ganz hinten im Garten sieht man ein einstöckiges Haus. Das gehört ihr. Da wohnt sie.«

»Danke, Frau Lissenkow! Sie haben uns wirklich sehr, sehr geholfen«, sagte Sternheim. »Sie gehen jetzt in die Küche und brauen sich erst mal einen schönen Kaffee, ja? Und wir gehen los und besuchen die alte Dame.«

Eine Viertelstunde später standen Sternheim, Max und Bello vor der Gartentür des Hauses, das ihnen Frau Lissenkow beschrieben hatte. Neben dem eisernen, halb verrosteten Türschloss hing ein Namensschild. Die Schrift war schon etwas vergilbt. Sternheim beugte sich hinunter und las laut vor: »Bianca von Altenstein.«

»Zweiter Wurf!«, murmelte Max fachmännisch.

Das Tor war nicht abgeschlossen, die drei gingen über einen sandigen Gartenpfad zum Eingang des Hauses. An der Haustür war kein Namensschild zu sehen. Aber neben der Tür gab es eine Klingel. Sternheim drückte den Klingelknopf und lauschte. Aus dem Haus kam nicht das kleinste Geräusch. Sternheim klingelte noch mal und dann noch einmal. Niemand öffnete.

Plötzlich fragte eine männliche Stimme: »Wollten Sie zu Frau von Altenstein?«

Die drei drehten sich um. Der Kopf eines Mannes ragte über den Heckenzaun, der den Garten der alten Frau vom Nachbargrundstück trennte. Der Mann war alt. Man sah es an dem weißen Haarkranz, der seinen kahlen, sonnenverbrannten Schädel umgab, und an den vielen Falten in seinem Gesicht. Er war gerade dabei, die Hecke zu schneiden. Links von ihm war sie schon glatt gestutzt, rechts ragten die Zweige noch unregelmäßig in die Luft.

»Ja, das wollen wir«, antwortete Sternheim.

»Waren Sie denn verwandt mit ihr?«, fragte der Nachbar weiter.

»Verwandt? Nein, wir sind eher bekannt«, sagte Sternheim.

»Sie meinen, Sie *waren* Bekannte«, verbesserte der Mann.

»Oder wissen Sie es noch gar nicht? Frau von Altenstein ist tot. Vorgestern war die Beerdigung.«

»Tot?«, wiederholte Sternheim. »Wirklich tot?« Er setzte sich bestürzt auf die Stufen vor der Haustür.

»Sie ist tot?«, fragte auch Max.

»Es scheint Sie ja ziemlich mitzunehmen«, sagte der Mann mitleidig. »Nehmen Sie's nicht so schwer. Sie war eine uralte Frau. Wir müssen alle mal sterben. Wenn ein junger Mensch stirbt, ist das wirklich traurig. Aber bei uns Alten ist es doch eher eine Erlösung.«

»Sie ist tot. Alles umsonst«, murmelte Sternheim.

Der alte Mann fragte: »Bleiben Sie noch einen Moment hier? Ich will was aus meinem Haus holen.«

»Ja, ja. Wir bleiben hier noch ein bisschen sitzen«, sagte Sternheim.

Der Kopf des Mannes verschwand hinter der Hecke.

Max und Sternheim blieben auf den Stufen sitzen, Bello erkundete in der Zwischenzeit schnuppernd den Garten und verschwand hinter dem Haus. Plötzlich kam er zurück, fasste Sternheims Hosenbein mit den Zähnen und zog daran.

»Bello, lass das!«, befahl Sternheim. »Ich will nicht mit dir spielen. Ich bin jetzt nicht in der Stimmung.«

»Papa, ich glaube, er will dir was zeigen«, rief Max. »Wo willst du uns denn hinführen, Bello?«

Bello sprang voraus, um die Hausecke herum, stieß mit seiner Schnauze eine Verandatür auf und verschwand im Inneren.

»Bello hat entdeckt, dass eine Tür offen stand«, sagte Max leise und folgte dem Hund auf Zehenspitzen. Der Nachbar musste ja nicht unbedingt mitkriegen, dass sie in ein fremdes Haus einbrachen.

Sternheim ging ihnen nach.

»Lass uns die Küche suchen und den Küchenschrank«, flüsterte er. »Schnell, bevor der Nachbar zurück ist.«

Die erste Tür führte ins Schlafzimmer, die nächste in eine Art Wohnzimmer, in dem viele Polster und Decken auf dem Fußboden lagen, hinter der dritten Tür fanden sie endlich die Küche. An der Wand stand ein einziger großer Schrank mit bemalten Türen. Aber sosehr sie auch darin suchten – eine Flasche mit blauem Saft fanden sie nicht.

Schließlich gingen sie wieder aus dem Haus, noch niedergeschlagener als vorher, setzten sich auf die Stufen und warteten auf den alten Mann.

Nach einer Weile streckte der seinen Kopf wieder über die Hecke und fragte: »Darf ich Sie um einen Gefallen bitten?«

»Um was handelt es sich?«, fragte Sternheim.

»Sie kommen doch bestimmt auf dem Rückweg durch die Innenstadt«, sagte der Alte.

»Wir wohnen sogar da«, sagte Sternheim.

»Sehr gut. Können Sie dort was in meinem Auftrag abgeben? Ich bin nicht mehr gut zu Fuß, müssen Sie wissen. Frau von Altenstein hat mich kurz vor ihrem Tod noch um einen Gefallen gebeten. Ich soll etwas zum Apotheker Sternheim bringen und es ihm überreichen, hat sie gesagt.«

»Sternheim?«, rief Sternheim. »Aber das bin doch ich! Ich bin der Apotheker Sternheim!«

»Was für ein Zufall«, sagte der alte Mann. »Dann kommt es ja gleich in die richtigen Hände.«

»Was ist es denn?«, fragte Max ungeduldig. »Was sollen Sie uns denn geben?«

»Hier, diese Flasche«, sagte der Mann und reichte eine große Flasche über die Hecke. Sie war fast bis zum Rand mit einer blauen Flüssigkeit gefüllt. »Der Apotheker wird schon wissen, wozu der Saft gut ist, hat sie noch gesagt.«

Sternheim nahm die Flasche ganz vorsichtig in Empfang.

Der alte Mann sagte: »Vielen, vielen Dank, dass Sie mir die Flasche abnehmen und ich nicht extra in die Stadt gehen muss.«

»Ach, nichts zu danken. Das machen wir doch gerne«, sagte Max. »Nicht wahr, Papa?«

»Ich wüsste nicht, was ich lieber täte«, antwortete Sternheim.

28.
Die zweite Verwandlung

Kaum war Frau Lichtblau von der Arbeit nach Hause gekommen, klingelte es an ihrer Wohnungstür. Sie öffnete. Draußen standen Sternheim, Max und der Hund Bello.
Sternheim hatte eine kleine Porzellanschale in der Hand,
Max trug einen Apothekerkittel über dem Arm.

»Ja?«, fragte sie.

Max sagte: »Frau Lichtblau, jetzt kann Papa Ihnen endlich
zeigen, dass er Sie nicht beleidigen wollte. Dass er nicht gelogen hat. Dürfen wir reinkommen?«

Frau Lichtblau zögerte einen Moment. Dann blickte sie
Sternheim an und sagte: »Ich weiß zwar nicht, was das wieder für ein merkwürdiges Spiel werden soll. Aber gut, kommen Sie rein!«

»Danke, Frau Lichtblau«, sagte Sternheim, und die drei
folgten Frau Lichtblau in deren Wohnzimmer.

»Nehmen Sie Platz«, sagte sie und deutete auf ein ge-
blümtes Sofa.

Sternheim und Max setzten sich aufs Sofa. Max legte den
Apothekerkittel neben sich ab, Sternheim behielt die Porzellanschale in der Hand. Frau Lichtblau setzte sich gegenüber in einen Sessel.

Das Wörtchen »Platz« hatte zur Folge, dass Bello wieder
mal flach auf dem Boden lag. Aber da es vor Bellos Ver-

wandlung noch einiges zu klären gab, konnte er vorerst so liegen bleiben.

»Frau Lichtblau, Sie wollten mir nicht glauben, dass dieser Hund Herr Bello war«, fing Sternheim an und deutete auf Bello. »Sie dachten, ich will Sie verspotten.«

Frau Lichtblau schaute entnervt zur Zimmerdecke und machte eine abwehrende Handbewegung. »Fangen Sie bitte nicht schon wieder mit dieser Geschichte an«, sagte sie. »Wenn Sie sich entschuldigen wollen, nehme ich Ihre Entschuldigung mit Freuden an. Wir sind erwachsene Menschen und finden bestimmt einen Weg, wie wir uns wieder näher kommen. Aber bitte keine Lügengeschichten mehr.«

»Ich will Ihnen aber gerade beweisen, dass es keine Lügengeschichten sind!«, rief Sternheim. »Komm, Bello, steh auf!«

Aber auch Frau Lichtblau stand auf, und Max spürte, dass sie kurz davor war, ihn und seinen Vater wieder hinunterzuschicken in den ersten Stock.

»Frau Lichtblau, schauen Sie mal bitte«, rief Max und befahl dem Hund: »Bello, komm her zu mir und zeig mir die rechte Pfote!«

Bello ging zu Max und hob den rechten Vorderlauf.

»Und jetzt die linke Pfote!«, sagte Max und Bello hob den linken Vorderlauf.

»Nicht zu fassen«, sagte Frau Lichtblau und setzte sich wieder. »Eine unglaubliche Dressurleistung!«

»Das ist keine Dressur, Frau Lichtblau«, sagte Max. »Der Hund versteht alles, was wir sprechen, weil er ja mal ein Mensch war. Passen Sie auf: Bello, ist Frau Lichtblau hübsch?«

Der Hund nickte einige Male sehr heftig mit dem Kopf.

»Glaubt Frau Lichtblau, dass du mal ein Mensch warst?«

Der Hund schüttelte den Kopf.

»Jetzt weiß ich wirklich nicht mehr …«, fing Frau Lichtblau an, vollendete den Satz aber nicht. Sie wusste offenbar nicht, was sie sagen sollte.

Sternheim stand auf und stellte die kleine Porzellanschüssel auf den Fußboden. Sie war mit einer hellblauen Flüssigkeit gefüllt.

»Liebe Frau Lichtblau, passen Sie jetzt bitte ganz genau auf«, sagte er. »Hier in der Schüssel ist der Saft, von dem ich Ihnen erzählt habe. Bello wird jetzt den Saft trinken …«

»Warte mal, Papa«, rief Max und flüsterte seinem Vater zu: »Soll Bello dabei so oder so stehen?«

»So oder so?«, fragte sein Vater verständnislos.

»Ich meine, wenn er wieder ein Mensch ist, dann ist er doch erst mal nackt. Soll sie ihn lieber von hinten sehen oder von vorne?«

»Schwierige Frage«, flüsterte Sternheim zurück. »Hm. Vielleicht sollte er ihr besser die Hinterseite zuwenden. Du ziehst ihm ja dann sofort den Apothekerkittel an. Deswegen haben wir den doch mitgenommen.«

»Ich glaube, es wäre unhöflich, wenn wir Frau Lichtblau Herrn Bellos Hintern zeigen«, flüsterte Max.

»Vielleicht hast du Recht«, flüsterte Sternheim. »Halte einfach den Kittel so vor Bello, dass sie ihn erst sehen kann, wenn er sich verwandelt hat.«

Laut sagte er: »Bello, jetzt darfst du trinken!«

Der Hund senkte seine Schnauze in die Schale und begann die Flüssigkeit aufzuschlabbern.

Einen Augenblick lang geschah gar nichts. Dann gab Bello merkwürdige Geräusche von sich. Sie kamen aus dem ganzen Hundekörper. Als würden Knochen knacken. Es war genauso wie damals im Hinterzimmer der Apotheke, als Bello sich zum ersten Mal verwandelt hatte. Er wuchs und wuchs, das Fell verschwand immer mehr, die Schnauze bildete sich zurück zu einem menschlichen Mund, Bello richtete sich auf – und kurz darauf stand da ein nackter, dicht behaarter Mann mit einem Hundehalsband um den Hals.

Frau Lichtblau schrie erschrocken auf, als plötzlich der Kopf eines Mannes über den oberen Rand des Kittels ragte.

Max zog Herrn Bello schnell den Apothekerkittel an. Herr Bello blickte an sich herunter und sagte begeistert: »Herr Bello ist ein Mönsch. Herr Bello ist wüder ein Mönsch.« Er ging zu Frau Lichtblau, streckte ihr die Hand entgegen und sagte: »Gu-ten Tag, freut mich!«

Frau Lichtblau sagte erst mal gar nichts. Fassungslos saß sie in ihrem Sessel und starrte Herrn Bello an. Dann streckte sie langsam ihre Hand aus, schüttelte erst ungläubig den Kopf und dann Herrn Bellos Hand.

»Ich kann es nicht glauben. Das ist wie Zauberei. Wie kann das sein?«, fragte sie. »Ich hab's mit eigenen Augen gesehen und kann es doch nicht begreifen.«

Sternheim stand lächelnd daneben und genoss ihre Verwirrung.

»Glauben Sie mir jetzt?«, fragte er.

Herr Bello tippte Frau Lichtblau mit dem Finger auf die Schulter und sagte: »Papa Sternheim hat nücht gelogen!«

Sternheim konnte es sich nicht verkneifen, Herrn Bello leise zu verbessern. »Nur Sternheim, ohne ›Papa‹!«

Frau Lichtblau stand auf und kam auf Sternheim zu.

»Da habe ich Ihnen wirklich Unrecht getan. Nicht Sie müssen sich entschuldigen, sondern ich. Es tut mir Leid, sehr Leid«, sagte sie. »Wie kann ich das wieder gutmachen?«

Sternheim nahm ihre Hand. »Gilt das noch, was Sie gesagt haben, als Sie aus dem Restaurant gegangen sind?«

»Was habe ich denn gesagt?«, fragte sie. »Ich war ja so aufgeregt und empört. Ich weiß nicht mehr, was ich gesagt habe.«

»Sie haben gesagt: Immer verliebe ich mich in den Falschen«, sagte Sternheim.

»Das stimmt nicht«, widersprach Frau Lichtblau.

»Doch, doch, ich hab's genau gehört«, sagte Sternheim. »Ich meine es anders: Ich verliebe mich nämlich doch nicht immer in den Falschen. Diesmal ist es ja vielleicht der Richtige.«

Max sagte:»Komm, Herr Bello! Höchste Zeit, dass wir die zwei allein lassen. Wir stören nur. In einem Fernsehfilm käme jetzt als Nächstes eine Umarmung und dann ein Kuss.«

Max nahm die Porzellanschale vom Boden auf und ging mit Herrn Bello aus der Wohnung.

In der Flurtür drehte er sich noch mal um, blickte zurück und grinste.»Na, was hab ich dir gesagt, Bello? Genau wie im Fernsehen!«

Max hat das letzte Wort

Als ich dann mit Herrn Bello unten in unserer Wohnung ankam, schnappte er sich sofort die Flasche, kippte ungefähr einen Teelöffel von dem blauen Saft in die kleine Porzellanschale und gab eine Tasse Wasser dazu.

»Willst du etwa so weggehen?«, fragte ich ihn.

»So?«, fragte er.

»Komm mit, wir ziehen dich erst mal anständig an. Du kannst doch nicht in diesem Kittel auf die Straße.«

»Herr Bello war aber schon mal mit düsem Kittel auf der Straße«, sagte er.

»Ja, da hat dich aber auch die Polizei verhaftet«, sagte ich. »Willst du wieder auf der Polizeiwache landen?«

»Herr Bello wüll nicht landen«, antwortete er und ging folgsam neben mir her in Papas Schlafzimmer. Die Kleider machten ihm keine Schwierigkeiten, aber die Schuhe. In seiner Zeit als Hund hatte er wohl ganz vergessen, dass Menschen Schuhe tragen. Er jammerte wie beim allerersten Mal, marschierte stöhnend durchs Wohnzimmer und hob beim Gehen die Beine wie ein Storch.

»Jetzt siehst du schon viel besser aus. So fällst du nicht auf im Stadtpark. So kann es klappen«, sagte ich. Dann fiel mir aber noch etwas ganz Wichtiges ein. »Du brauchst ein Kleid!«

»Kleid?«, fragte Herr Bello. Dann begriff er. »Ja, stimmt. Ein Kleid!«

»Guck mal oben auf Papas Schrank nach!«, befahl ich ihm. »Ich kann da nicht hoch, ich bin zu klein. Da oben muss ein Karton stehen.«

Herr Bello holte einen Karton vom Schrank und stellte ihn auf Papas Bett. Ich wischte erst den Schmutz von der Bettdecke, denn der Karton war völlig eingestaubt, und öffnete dann den Deckel.

Ich hatte es richtig in Erinnerung. Darin lag das Kleid, das Mama vor vielen, vielen Jahren mal getragen hatte. Ich glaube, bei ihrer Verlobung mit Papa. Es war ihr zu eng geworden und sie hatte es zum Schuheputzen verwenden wollen, aber Papa hatte es nicht zugelassen und das Kleid in den Karton gesteckt. Oben auf dem Schrank hatte er es dann vergessen.

»So, jetzt kannst du gehen«, sagte ich. »Viel Glück, Herr Bello!«

»Danke, Max«, sagte er und versuchte mir das Gesicht abzulecken.

»Ist schon gut, Herr Bello«, sagte ich lachend und wehrte ihn ab. »Jetzt geh endlich!«

»Herr Bello geht öndlich«, bestätigte er. Ich öffnete ihm die Tür. Er hatte sich das Kleid wie einen Schal um den Hals geschlungen und trug die Porzellanschale vorsichtig mit beiden Händen nach draußen.

Es wurde schon dunkel, als Papa und Frau Lichtblau von oben kamen.

»Verena und ich haben beschlossen, heute Abend hier unsere Versöhnung zu feiern«, sagte er. »Bei einem schönen Abendessen und einer Flasche Sekt.«

»Verena?«, fragte ich. »Ach so, ich verstehe.«

»Du darfst mich gerne auch Verena nennen«, sagte Frau Lichtblau.

Papa guckte sich um und fragte: »Wo ist denn Herr Bello?«

»Er ist unterwegs. Im Stadtpark. Er will da jemanden treffen«, antwortete ich.

Normalerweise hätte Papa jetzt neugierig nachgefragt, wen Herr Bello denn treffen wolle. Aber er war so damit beschäftigt, mit Frau Lichtblau verliebte Blicke zu wechseln, dass er gar nicht richtig zuhörte und nur sagte: »Im Stadtpark. Ah ja.«

Als wir beim Abendbrot saßen – Papa war gerade damit beschäftigt, die Sektflasche zu öffnen –, klingelte es.

»Max, mach bitte auf. Das wird Herr Bello sein«, sagte Papa und ließ den Sektkorken aus der Flasche knallen.

Es war auch Herr Bello. Aber er war nicht allein.

Mit ihm zusammen drängte sich eine hübsche junge Frau durch die Tür. Sie hatte schön gewellte, rostrote Haare und trug eine auffallende lila Schleife, die nicht so recht zum Rot der Haare passen wollte.

Papa hörte auf, den Sekt in die Gläser zu gießen, und fragte verblüfft: »Wer ist das denn?«

»Meine Froindin«, sagte Herr Bello stolz.

»Du hast eine Freundin?«, fragte Papa erstaunt.

»Du doch auch«, antwortete Herr Bello und grinste Frau Lichtblau an.

»Ich … also ich wusste gar nicht, dass du eine Freundin hast«, sagte Papa. Er nickte der Frau zu: »Kommen Sie doch näher.«

Ich stand neben den beiden, weil ich ja die Tür für sie geöffnet hatte, und hörte, wie Herr Bello ihr zuflüsterte: »Die Hand hinhalten. Mönschen lecken nicht das Gesücht ab!«

Die rothaarige Frau streckte Papa die Hand entgegen. »Richtig so«, lobte Herr Bello, und sie zog die Hand wieder zurück, bevor Papa sie schütteln konnte.

»Darf man Ihren Namen erfahren?«, fragte Papa.

»Ich hoiße Adrienne von Eschenheim«, sagte sie.

»Hallo, Adrienne«, sagte ich und blinzelte dabei Herrn Bello zu.

»Du kennst sie?«, fragte Papa.

»Ja, wir haben uns schon mal gesehen«, antwortete ich. »Im Stadtpark.«

»Ein sehr hübsches Kleid haben Sie an, Frau von Eschenheim«, sagte Papa. »Es erinnert mich an irgendwas.«

»Krügen wir jetzt bei Papa Sternheim was zu essen?«, fragte Herr Bello und betrachtete erwartungsvoll den gedeckten Tisch.

Papa hielt sich diesmal nicht damit auf, Herrn Bello zu erklären, dass er nicht *sein* Papa war, sondern meiner. Papa hatte ein viel größeres Problem.

»Sag mal, Herr Bello, du wirst doch bei uns wohnen wollen, wie bisher«, fing er an.

»Ja, Herr Bello wohnt bei Max«, bestätigte Herr Bello.

»Und deine Freundin?«, fragte Papa weiter.

»Wohnt auch bei Max«, antwortete Herr Bello.

»Das geht nicht, Herr Bello«, sagte Papa. Er schaute Herrn Bellos Freundin verlegen an. »Sie müssen das verstehen.«

Frau Lichtblau, die bis jetzt stumm und staunend zugehört hatte, kam Papa zu Hilfe. »Das geht wirklich nicht, Herr Bello, das musst du einsehen«, sagte sie. »Zwei erwachsene Menschen zusammen mit Max im Kinderzimmer. Wie stellst du dir das vor?«

Herr Bello guckte unglücklich von einem zum anderen. »Göht nicht?«, fragte er.

Da kam mein großer Auftritt. Ich sagte: »Ich habe eine Idee!«

Alle guckten mich erwartungsvoll an.

Ich fragte: »Wie findet ihr das: Frau Lichtblau, also Verena, zieht zu Papa und mir, und Bello und seine Freundin kriegen die Wohnung im zweiten Stock. Die ist ja dann frei. Wäre das eine Lösung?«

Papa sah Verena an und sagte: »Ich persönlich hätte gegen diese Lösung absolut nichts einzuwenden.«

Verena wurde ein wenig rot und sagte: »Gut. Ich werde darüber nachdenken.«

Und genau so, wie ich es vorgeschlagen habe, ist es dann auch gekommen!

EIN NACHWORT

Nachdem ich mit dem Filmproduzenten und Autor Ulrich Limmer zusammen die beiden Sams-Drehbücher geschrieben hatte, machten wir gemeinsam mit unseren Familien Urlaub. Abends saßen wir meist am Kamin und dachten uns Geschichten aus. Vielmehr eine, die wuchs und wuchs und immer mehr Gestalt annahm. Tag für Tag erzählten wir uns die Geschichte von Max und seinem Vater weiter und wie der Hund Bello zu Herrn Bello wurde. Und inzwischen hat Ulrich Limmer sogar einen Film daraus gemacht.